1ª edição
agosto de 1998 | 14 impressões | 63 mil exemplares
2ª edição revista e ampliada
março de 2006 | 18 impressões | 131 mil exemplares
3ª edição revista e ampliada
junho de 2015 | 8 impressões | 31 mil exemplares
41ª reimpressão | abril de 2022 | 2 mil exemplares
42ª reimpressão | novembro de 2022 | 2 mil exemplares
43ª reimpressão | agosto de 2023 | 2 mil exemplares
44ª reimpressão | abril de 2024 | 2 mil exemplares
45ª reimpressão | novembro de 2024 | 2 mil exemplares

CASA DOS ESPÍRITOS EDITORA
Avenida Álvares Cabral, 982, sala 1101
Belo Horizonte | MG | 30170-002 | Brasil
Tel.: +55 (31) 3304-8300
editora@casadosespiritos.com.br
www.casadosespiritos.com

EDIÇÃO, PREPARAÇÃO E NOTAS
Leonardo Möller

CAPA, PROJETO GRÁFICO E DIAGRAMAÇÃO
Andrei Polessi

FOTO DO AUTOR
Leonardo Möller

REVISÃO
Naisa Santos

IMPRESSÃO E ACABAMENTO
PlenaPrint

Coleção SEGREDOS DE ARUANDA

Tambores de Angola, vol. 1
Aruanda, vol. 2
Corpo fechado, vol. 3
Antes que os tambores toquem, vol. 4

Dados Internacionais de Catalogação na Publicação (CIP)
(Câmara Brasileira do Livro, SP, Brasil)

Inácio, Ângelo (Espírito).
Tambores de Angola / pelo espírito Ângelo Inácio : [psicografado por] Robson Pinheiro . – 3. ed. – Contagem, MG : Casa dos Espíritos, 2015. – (Coleção Segredos de Aruanda; v. 1)

ISBN 978-85-99818-36-7

1. Espiritismo 2. Ficção espírita 3. Psicografia
I. Pinheiro, Robson. II. Título.

15-04739 CDD – 133.93

Índices para catálogo sistemático:
1. Ficção espírita : Espiritismo 133.93

Tambores de angola

Coleção SEGREDOS DE ARUANDA, vol. 1

O Acordo Ortográfico da Língua Portuguesa, ratificado em 2008, foi respeitado nesta obra.

Robson Pinheiro

Tambores de angola

pelo espírito
Ângelo Inácio

"Para bem conhecer uma coisa é preciso tudo ver, aprofundar tudo, comparar todas as opiniões, ouvir os prós e os contras"

Allan Kardec[1]

[1] KARDEC. *Revista espírita*. Rio de Janeiro: FEB. 2004. p. 383. v. 3. 1860.

Sumário

Apresentação à 3ª edição

por Leonardo Möller EDITOR

NÃO É TODO DIA que um autor espiritual toma a palavra e, por meio do médium de que se utiliza, informa que está disposto a fazer como melhor nos convier com relação ao material inédito que prometera acrescentar a determinado livro – no caso em particular, a esta edição revista e ampliada do primeiro livro escrito por ele em parceria com Robson Pinheiro. Pois foi bem assim, em meio a uma reunião a respeito do cronograma editorial que fazíamos, o médium e eu, que Ângelo tomou a palavra para manifestar a generosidade que só se vê, senão nas grandes almas, ao menos naquelas sem fricotes e nove-horas e, acima de tudo, nos amigos leais. Como não gostar disso? Ângelo sabe cativar como poucos, e bem sei que não só a mim. *Tambores de Angola*, seu maior sucesso, já vendeu mais de 194 mil exemplares até este junho de 2015, e segue sendo lido e adorado por quem o conhece.

Quem diria que, desde aquele aparentemente tão longínquo 1997, quando Ângelo rabiscou suas primeiras linhas – na verdade, digitou-as, pois ele foi o espírito responsável por introduzir Robson Pinheiro na prática de psicografar diretamente no computador, como este mesmo revela no texto *Os bastidores*, logo a seguir –, ele se tornaria uma figura tão central na vida da Casa dos Espíritos? A Editora permanece sob a coordenação dos espíritos Alex Zarthú, o Indiano, e Joseph Gleber; contudo, Ângelo assumiu definitivamente o posto de editor do Além, vamos assim dizer, exercendo bastante ingerência no modo de programar e executar cada projeto. Encomenda pesquisas de opinião ou sondagens, que espíritos especializados em *marketing* fazem entre potenciais leitores, a fim de embasar a decisão acerca de qual livro será o próximo a ser produzido; sugere o título e elabora ou interfere na estrutura narrativa de textos de outros autores espirituais, chegando até a converter uma obra que seria dissertativa em romance, portanto, atingindo ou ao menos atraindo maior número de pessoas para aquele conteúdo. Nada mais natural do que os dirigentes espirituais abrirem espaço para uma atuação assim, pois que não são necessariamente mestres da palavra; tampouco os são outros autores, especialistas que frequentemente não têm traquejo com a produção escrita, área que foi justamente o campo de trabalho do jornalista sob o pseudônimo Ângelo Inácio. Como os mentores adoram atuar em equipe e são líderes carismáticos e admiráveis, nada inseguros ou centralizadores, não têm o mínimo pudor em se acercar de gente competente e com iniciativa, peritos em áreas que eles não dominam.

Em dado momento, Ângelo chegou a brincar que somente quando o assunto era língua portuguesa ele podia se dar ao luxo de ver os mentores como alunos, e a ele mesmo, na posição de ensinar algo... Nada melhor que a ironia, o humor ligeiramente ácido e a descontração numa relação de verdadeiro companheirismo e de trabalho em conjunto. Sabemos que há quem defenda o trato com os espíritos baseado em certa solenidade ou formalidade. Não é o jeito que sabemos fazer, porém; ainda mais se considerado o grande volume de trabalho, precisamos respirar naturalidade, espontaneidade e leveza.

É por essas e outras razões, e por esse papel tão importante que Ângelo hoje desenvolve nesta parceria – o qual, produzindo textos, já conta quase duas décadas, sem somar os anos que as antecederam, durante os quais buscou estabelecer sintonia com o médium –, que sentimos alegria especial ao revisitar este *Tambores de Angola*. Obra que foi responsável pela maior campanha de difamação de Robson Pinheiro e da Casa dos Espíritos, este livro foi, muito, mas muito mais que isso, a semente de grandes conquistas, que nos alegram e eram o objetivo mesmo dos espíritos. Para a inconformação dos que repelem a mudança, trouxe os pais-velhos, os caboclos e até os controversos exus para o centro da prática espírita. Hoje é raro quem continue relegando à senzala espiritual essas entidades – muitas vezes tímida ou até sorrateiramente presentes às "mesas" mais privativas do meio espírita – ou tenha a coragem de declarar, sem faltar com a verdade, que não trabalha com essa classe de espíritos. Como seria possível, se estamos todos imersos na cultura brasileira, à qual estão profundamente ligados, e, além do mais, sendo eles grandes mestres na manipulação de fluidos? Visite uma livraria espírita e veja como, depois de Ângelo, as estantes têm sido povoadas por livros desses espíritos. De outro lado, *Tambores* repercutiu entre umbandistas, emancipando aquelas figuras espirituais da quadra religiosa a que estavam inexoravelmente associadas e expandindo seu âmbito de ação, uma vez que entre elas inexiste qualquer tipo de segregação. Também revelou para muitos a origem superior dessa manifestação religiosa brasileira de corpo e alma, que veio para fazer avançar o panorama espiritual do país e arrebatar tantas almas, ao redor do mundo, por meio da bandeira da caridade.

Ao decidirmos adaptar o texto deste *Tambores* ao recente Acordo Ortográfico, além de aprimorarmos o projeto gráfico – a fim de proporcionar uma experiência de leitura mais agradável –, cogitamos com Ângelo a possibilidade de incluir algum texto inédito, de modo a enriquecer ainda mais o trabalho. Qual a nossa surpresa ao ouvir como resposta não só o "sim", mas que o faria narrando as cenas seguintes da história, isto é, contaria os desdobramentos da umbanda, do espiritismo e da mediunidade na vida do protagonista, Erasmino. Os três capítulos finais cumprem esse objetivo.

Como se não bastasse, Ângelo indicou que, daqui a alguns anos, pode vir a escrever mais, já que a trama permanece em andamento. Não resta dúvida: a vida de seu personagem é interessante o bastante para banir definitivamente qualquer preconceito e fazer o leitor se enamorar de vez – se já não se deixou seduzir – pelo belo e admirável universo da Aruanda e de seus representantes. A Ângelo, antes de tudo, nosso muito obrigado.

LEONARDO MÖLLER *editor*
Belo Horizonte, junho de 2015.

Os bastidores

por Robson Pinheiro

A psicografia de *Tambores de Angola* se deu de maneira muito diferente do que ocorreu com os demais livros, sobretudo até então. Era o ano de 1997, em meio às festividades de carnaval, quando fui internado para uma cirurgia de emergência. As dores, que começaram leves no início da semana anterior, agravaram-se, e, ao chegar ao hospital, mal conseguia me locomover. Era apêndice supurado. Durante o processo cirúrgico, feito às pressas, algo ocorreu diferente do previsto, e acabei em coma por 19 dias. Nesse período, adquiri uma infecção hospitalar, e o quadro complicou-se ainda mais.

Embora hoje já consiga rever os detalhes do acontecido com certo riso, naquela época não foi nada fácil. No entanto, a experiência foi muito rica em aprendizado.

Durante o coma, permaneci grande parte do tempo desdobrado e consciente do que acontecia à minha volta, flutuando logo abaixo do teto, observando tudo o que se passava no CTI daquele hospital. Ouvia os comentários dos médicos e das poucas pessoas que tinham acesso ao local para visita. O que não podia compreender era o porquê de tanta preocupação por parte das pessoas, já que me sentia muito bem – desdobrado – e, por isso mesmo, não via nenhum sinal de risco imediato à minha saúde. Após muita cogitação dos médicos, para agonia dos familiares e dos amigos mais próximos, finalizavam-se os preparativos para desligar os aparelhos que me mantinham vivo, já que, ao cabo daqueles 19 dias, meu quadro era tido como irreversível. Mas a decisão acerca de meu futuro não dizia respeito aos médicos nem aos meus familiares.

Em um lance imprevisível e para lá de inusitado, o espírito Joseph Gleber incorporou em mim dentro do CTI, levantou imediatamente meu corpo da maca, retirando, com minhas próprias mãos, os aparelhos ligados ao meu corpo. "Estou tirando minha médium daqui!" – exclamou, com o típico sotaque alemão, bem carregado. Ainda bem que não assisti àquilo tudo, pois estava inconsciente do fenômeno que se dava através de mim. Entretanto, você pode imaginar qual foi a reação das pessoas ali presentes, um misto de medo e surpresa.

Despertei do coma em pé, logo acudido pelos amigos para não cair, tamanha a fraqueza das pernas. A seguir, transportaram-me para um leito de apartamento, e, assim que me puseram na cama, para espanto geral, os espíritos me assumiram novamente o corpo, como já haviam feito em diversos momentos graves de minha vida, desde a infância.

Primeiro Alex Zarthú, o Indiano, que me assenta em posição de lótus sobre a cama, e, instantes depois, o "discreto" Pai João de Aruanda, que resolve cantar a plenos pulmões, em plena ala hospitalar, fazendo suas mandingas de preto-velho. Os médicos e os enfermeiros, acorrendo assustados ao quarto, não entendiam nada do que acontecia. O amigo Marcos Leão – através do qual foi escrito o prefácio deste livro – acompanhava tudo o que ocorria e aconselhou a equipe médica a não intervir, pois que não poderia entender o que se passava somente com base nos compêndios da medicina. Contaram-me mais tarde que vários espíritos – entre eles, Everilda Batista, minha mãe; Zarthú, um dos orientadores de nossas atividades; e Scheilla – apresentaram-se através da psicofonia durante o período em que estive no quarto do hospital, alguns deles, até provocando efeitos físicos.

Segundo o prognóstico médico – que, graças a Deus, em grande parte das vezes é falho –, a infecção hospitalar deveria causar vários reveses, como queda de cabelos, perda das unhas e dos dentes e sabe-se lá o que mais, muito em virtude da quantidade de antibióticos potentes que fora necessário utilizar. Além do mais, haviam descoberto que eu era diabético e que, sendo assim, a cicatrização da cirurgia não se daria dentro do prazo previsto.

Felizmente, tudo se deu de maneira diferente. Dizem que, quando os médicos acertam o diagnóstico, devemos nos dar por satisfeitos, pois o prognóstico cabe somente a Deus. Uma semana depois, saí do hospital, e até hoje os dentes não caíram, nem os cabelos, que sempre foram poucos, nem mesmo as unhas. A cicatrização completa do corte – feito com desleixo pelos cirurgiões, que davam como certa minha morte – deu-se em 15 dias, sem maiores complicações, naturalmente em decorrência da intervenção da equipe espiritual de Joseph Gleber, que agiu intensamente naquela ocasião.

Retornei para casa ainda muito abatido, como era de se esperar num caso grave como aquele. O mesmo amigo Marcos procurava ficar comigo em casa, assistindo-me na recuperação, porém ele tinha de trabalhar para manter as despesas. Nossa situação financeira nunca permitira abusos, e o imprevisto na área da saúde rapidamente esgotara qualquer reserva. Devido à convalescença, com meu consultório terapêutico fechado, dependíamos inteiramente de seu trabalho para o sustento.

Lembro-me de que era uma quinta-feira aquele dia em que retornei para casa sob os cuidados dos amigos, que também estavam na expectativa de minhas melhoras.

No hospital, muitos companheiros haviam me visitado e fizeram de tudo para que me sentisse amparado. Até mesmo, durante o período do coma, uma amiga se achegou ao leito e falou para mim, acreditando que sua voz era percebida de alguma maneira – mas talvez não soubesse que era ouvida com tanta intensidade e clareza, pois eu estava desdobrado e inteiramente consciente:

– Robson, meu amigo, pode se desligar deste mundo. Não se preocupe, siga seu caminho, que nós tomaremos conta das coisas aqui. Minha família tem uma sepultura, e já dei ordem para que a transferiram para você; esqueça este mundo e se lembre do outro...

Para a decepção de alguns, a sepultura teria de esperar mais alguns anos para abrigar um novo morador. Sobrevivi à caridade espírita e ao prognóstico dos médicos.

No dia seguinte, sexta-feira, portanto, o amigo que me auxiliava tinha de ir trabalhar, e eu ficaria sozinho em casa. Como não tinha condições de me levantar da cama sem ajuda, pedi a ele que me pusesse de pé antes de sair, pois seria bem mais fácil me deitar mais tarde, escorregando pouco a pouco, do que me levantar. Seria menos doloroso. A região submetida à cirurgia ainda doía muito, e, naturalmente, a fraqueza era geral. Emagreci mais ou menos 30 quilos, e o desgaste fora bastante intenso, devido à infecção generalizada. Além disso, sabendo que eu ficaria só em casa e conhecendo os espíritos como eu os conhecia, imaginei que iriam querer que eu trabalhasse imediatamente. Pedi então a Marcos que tirasse de nossa casa todo o material de psicografia, como papel, canetas e lápis.

Assim que fiquei só, em pé, encostado no umbral da porta, o benfeitor espiritual Alex Zarthú se mostrou à visão, convidando-me ao trabalho:

– Meu irmão, está na hora de trabalhar – disse ele. – Vamos escrever algumas palavras.

– Você está doido! – respondi, indignado. – Saí ontem do hospital, depois de *de-ze-no-ve* dias em coma, e vocês querem trabalhar! Nem cicatrizou direito a cirurgia, estou com dores fortes, e vocês ainda dizem que devo trabalhar... Afinal, eu estou quase morto!

– Então, meu filho – tornou o mentor, inalterado, o que acentuava o tom de sua ironia –, se você está quase morto, está melhor do que eu, pois já faz mais de mil anos que morri, e estou trabalhando até agora. Portanto, vamos trabalhar...

– Mas eu pensei que mentor tinha de passar a mão na cabeça do médium, tratar ele com cuidado, carinho... Além do mais, eu não tenho aqui material para psicografar. Não tenho papel, caneta ou lápis.

– Não importa, meu filho. E aquela máquina ali? – indagou, apontando para o computador.

– Só me faltava essa! Eu nunca psicografei em computador.

– Não tem problema algum. Para tudo há a primeira vez.

– Mas não posso me sentar; sinto muitas dores ainda...

– Isso também não vai atrapalhar, meu filho, pois escreveremos apenas algumas palavras. Você pode ficar em pé e certo de que não interferiremos em suas dores. Usaremos apenas suas mãos.

– Mas...

Não tinha mais argumentos para usar com o espírito. Ainda hoje penso que os mentores precisam de terapia urgentemente, pois todos parecem sofrer de uma compulsão por trabalho. Não gostam nada de férias nem de repouso.

Brincadeiras à parte, aproximei-me do computador, conforme orientado. Porém, para que eu não visse o que seria escrito, deveria manter o *zoom* reduzido. Tudo bem, tive de ceder. Liguei a máquina, li um trecho de *O Evangelho segundo o espiritismo*, a pedido de Zarthú, e cedi os braços para a digitação, concluindo que ele próprio escreveria. Afinal, segundo o espírito me dissera, seriam apenas algumas palavras. Não deveria demorar. Eram 8h20 naquela manhã de sexta-feira. Eu ficaria de pé mesmo, pois não aguentava sentar, em virtude da cirurgia.

Para minha surpresa, os dedos dispararam velozes sobre o teclado, como se não fossem minhas as mãos de "dedógrafo", que só sabiam catar letras aqui e ali. Nunca imaginara um indiano de tempos remotos tão familiarizado com as modernas tecnologias.

Às 14h cessaram os movimentos, ininterruptos durante todo o intervalo de tempo. Curiosamente, não vi as horas passarem e, mesmo sem poder ler o que era digitado, não me senti entediado. A presença dos espíritos sempre foi extremamente agradável.

Terminada a escrita, amplio o *zoom* e deparo com um nome que me era inédito: Ângelo Inácio. "Quem é esse sujeito?" – indago mentalmente. "Será um obsessor?" talvez fosse a próxima pergunta esperada, seguindo a lógica dos grandes fantasmas que amedrontam os espíritas modernos: obsessão e animismo. Volto ao início do texto, e o título é de uma força singular: *Tambores de Angola*.

Era um livro! Um livro! Os espíritos tinham escrito um livro! "Apenas umas poucas palavras", sei... Agora, o que saberia um indiano como Zarthú sobre Angola? O tal Ângelo Inácio era, obviamente, o autor espiritual. Ou seja, eu fora enganado também acerca de quem escreveria; só então me dei conta de que Zarthú não escrevera uma linha sequer.

– Viu, meu filho? – dirige-se a mim novamente o espírito Zarthú, após o encerramento do trabalho. – Isso é apenas para você aprender que nunca deve conservar as mãos vazias e que sempre é possível fazer algo benéfico, proveitoso; sempre há como empregar seu tempo de modo construtivo.

Como discordar? Estava com certa raiva e cansado, mas tinha que dar o braço a torcer: mais uma vez, ele tinha razão. Estava pronto o livro *Tambores de Angola*. À exceção do capítulo 15, acrescido mais tarde, o primeiro romance de Ângelo Inácio foi psicografado em apenas algumas horas, naquela inesquecível manhã de sexta-feira.

Exausto, fui deitar-me; só li o texto uns dois dias depois. Desconhecia completamente a natureza do assunto e me peguei impressionado e curioso para conhecer detalhes que o enredo revelava: a estrutura de uma base das trevas, a ação nefasta de espíritos experientes no trato com o magnetismo e a hipnose, a descrição clara dos trabalhos de umbanda em sua simplicidade e em seu verdadeiro sentido, a trajetória de um tal Erasmino, que aprendia a baixar o topete e a conhecer o espiritismo autêntico, sem a feição preconceituosa que lhe emprestam alguns...

Transcorridos aproximadamente dois meses desde essa ocasião, fui a Uberaba, no Triângulo Mineiro, levar uma cópia do livro a Francisco Cândido Xavier, bem antes do lançamento, como havia feito com meus dois livros anteriores, *Canção da esperança* e *Medicina da alma*. Através de Chico haviam sido dadas, no ano de 1988, as primeiras orientações para a fundação da casa espírita que até hoje dirijo, a Sociedade Espírita Everilda Batista. Ele próprio acompanhou de perto alguns lances da minha mediunidade – apesar de estar a 450km de distância – desde que o conheci, em

1984, quando eu ainda morava em Ipatinga, MG.

Sendo assim, naquele ano de 1997, lá estava eu novamente, livro em punho, encadernação de capa dura, no maior capricho, buscando em Chico algum apoio e certo aconselhamento com relação à nova obra. Afinal, minhas apreensões tinham razão de ser, ainda mais naquela época. Não sei o que é pior, segundo o ponto de vista da ortodoxia espírita: falar em tambor, já que há um preconceito contra instrumentos de percussão, ou em Angola e qualquer outra nação africana... Para piorar a situação, o livro de Ângelo tinha os dois elementos já no título.

Chico me recebeu em certa manhã na sua residência, na cozinha, rapidamente, como de outras vezes. Olhou para o livro, esboçou um leve sorriso e disse:

– É, meu filho, este livro tinha de vir. Já era para ter sido psicografado por outro médium, mas não foi possível. Lance o livro, meu filho, mas, quando o fizer, tire umas férias e *se lance* para fora do país!

– Por quê, Chico? – indaguei.

– Por causa da caridade dos irmãos espíritas, meu filho... – respondeu ele, encostando o dedo na própria língua enquanto pronunciava a palavra "caridade". – Mas o livro tem que sair. Quem dera se eu fosse recebido por estes pretos-velhos de que fala o livro quando eu desencarnasse... Eu ficaria muito feliz.

De fato, lançar *Tambores de Angola* não foi fácil. Além das dificuldades naturais, com espíritos interessados em atrapalhar quaisquer projetos de esclarecimento das consciências, o livro de estreia do repórter do Além, Ângelo Inácio, foi como um furo de reportagem, um escândalo jornalístico digno de sua época de encarnado. Custou-nos o nome de espíritas, ao menos perante alguns que pretendem se apropriar da designação exclusiva do termo. Julgando-se autoridade oficial no assunto, empossados em meia dúzia de cargos, arrogam-se o direito de classificar em *doutrinário* e *antidoutrinário* tudo quanto há. Seguem critérios inimagináveis, pois o próprio codificador do espiritismo, Allan Kardec, jamais adotou tal atitude. Ainda mais ele, vítima da inquisição espanhola, que mandou queimar seus livros em Barcelona...

Não sei se por ironia do destino ou maldição do Ângelo, a afronta veio pelos jornais. As instituições onde exercemos nossas atividades foram desqualificadas num certo veículo de mídia impressa em Minas Gerais, e eu, feito mãe que vê um filho ser destratado, queria a desforra, queria devolver na mesma moeda. Pretendia utilizar para isso nosso jornal *Spiritus*. Felizmente, os companheiros do jornal me dissuadiram

– ou melhor, me impediram, pois estava obstinado.

Buscamos resolver o impasse junto com os espíritos, que, para minha frustração à época, responderam: "Continue trabalhando, meu filho. O tempo mostrará o resultado de seu trabalho. Continuem trabalhando, que ninguém atira pedras em árvore que não está dando frutos".

Hoje vejo que valeu a pena acatar a opinião dos demais. Rememorando esses episódios agora, passados alguns anos, parecem uma história longínqua, sem o efeito que tiveram sobre nós. Possivelmente porque os retornos positivos a respeito do livro foram tantos e tão significativos que aniquilaram qualquer manifestação de censura. *Tambores de Angola* é o título da Casa dos Espíritos que mais repercussão teve entre os leitores, que com frequência nos escrevem e telefonam para contar o papel que o livro desempenhou em suas vidas e no contexto de suas casas espíritas ou umbandistas. É o que mais vendeu até hoje, em números absolutos, e nos abriu muito, mas muito mais portas do que as poucas que fechou.

Exemplo disso é um caso cômico do qual me recordo. Certo dia, em uma viagem para uma palestra no interior de São Paulo, a dirigente me recebe à porta um tanto desconfortável. Agradece que tenha aceitado seu convite, mas afirma que todos os livros psicografados por mim – uns três ou quatro, na ocasião – eram bem-vindos, à exceção de *Tambores de Angola*. Tudo bem. No decorrer da palestra, comentei sobre a doutrina de libertação da consciência que é o espiritismo e sobre como é importante combater o preconceito. "Por exemplo, hoje fui proibido de expor o livro *Tambores de Angola*, que está ali atrás, encaixotado, simplesmente porque fala de pretos, velhos e índios, cuja existência incomoda muita gente" – disse. Claro que nunca mais voltei ao centro, mas o povo acorreu às caixas antes de eu terminar de falar; e o objetivo do livro, que visa esclarecer o que é umbanda e o que é espiritismo, foi atingido.

O curioso é que esse movimento todo ocorre até hoje, e os tambores não pararam de repercutir. Para minha satisfação ainda maior, muitos daqueles que, por puro preconceito, combateram a obra na época do lançamento resolveram ler o texto na íntegra – a propósito, conforme recomenda Kardec. Se assim fizeram para criticá-lo com mais propriedade, decepcionaram-se. Ao conhecerem o que contestavam, passaram a respeitar o livro e a creditar-lhe o devido valor. Alguns, mais corajosos, reconhecem o próprio equívoco e defendem a obra ainda hoje.

Ao completarmos, em 2006, 10 anos de fundação da Casa dos Espíritos, nada mais apropriado que oferecer a você uma nova edição, totalmente revista e com novo projeto gráfico, mais à altura da singularidade da mensagem dos espíritos contida nesta obra. É preciso romper barreiras de preconceito e granjear a tolerância, especialmente no âmbito religioso, ainda mais numa época de recrudescimento do fundamentalismo em diversos cantos do globo. *Tambores de Angola* cumpre bem esse papel.

Além disso, a edição comemorativa figura também como homenagem nossa aos pretos-velhos, aos caboclos, aos exus e a todo o povo da Aruanda, espíritos que têm nos sustentado ao longo da caminhada. O trabalho não seria possível sem eles, e, conforme me disse Chico Xavier, eu também ficaria muito feliz em ser recebido por essas entidades quando aportar no lado de lá da vida.

Robson Pinheiro
Belo Horizonte, verão de 2006.[1]

[1] Abertura inédita escrita para a 2ª edição, que celebrava os 10 anos da Casa dos Espíritos.

Repórter do Além

por Ângelo Inácio

Volto à ativa novamente. Se bem não me tenha dado ao luxo de ficar na inércia deste lado de cá. Aqui, igualmente, as notícias fazem ibope. Não obstante, a temática é outra, que não aquela costumeira da velha e saudosa Terra.

Os outros defuntos que compartilham comigo desta ventura quase nirvânica de viver deste lado do véu fazem também a "sua" notícia. Hoje, porém, tentarei falar de assuntos um pouco diferentes daqueles aos quais emprestei a minha pena quando metido nos labirintos da carne.

Como vê, meu caro, se abandonei aí o paletó e a gravata de músculos e nervos, conservei, no entanto, o jeito próprio do escritor e repórter, agora, porém, radicado no "outro mundo", como dizia quando estava aí. O bom agora é que não me sinto mais obrigado a escrever àqueles velhacos de colarinho engomado que nos julgam pela forma ou a gramática, de acordo com os ditames das velhas academias da Terra. Igualmente, não tenho a obrigação, deste lado do túmulo, de me ater aos rigores das convenções dos escritores terrenos. Estou mais solto, mais leve e mais fiel aos fatos observados.

Embora conserve o domínio de mim mesmo, a minha distinta e preciosa individualidade de morto-vivo metido a escritor e repórter do Além, resolvi, por bem daqueles que talvez me guardem na memória, adotar um pseudônimo para falar aos amigos que ficaram do lado de lá do rio da vida.

Assim sendo, meu caríssimo, enquanto me emprestar sua mão para grafar meus pensamentos – que, desafiando todas as expectativas de meus antigos colegas de profissão, teimam em continuar constantes, sem haver sido interrompidos pela morte ou lançados às chamas do inferno –, empresto-lhe igualmente as minhas pobres experiências, compartilhando com você um pouco das histórias que almejo levar ao correio dos defuntos e dos que se julgam vivos.

Creio que serão proveitosos para ambos os momentos em que estaremos juntos. No mínimo, sentirei mais de perto o calor das humanas vidas, enquanto você experimentará mais intensamente a presença de um fantasma metido a repórter e comentarista do além-túmulo.

Despeço-me, para breve retornar.

Ângelo Inácio *(espírito)*

Prefácio

por Pai João de Aruanda

Para o bem não há fronteiras...

Num mundo onde a ignorância e o sofrimento abrem chagas no coração humano, o chamado da espiritualidade ecoa em nós de forma a rasgar o véu do preconceito espiritual. A seara, de extensão condizente com as nossas necessidades de evolução, espera corações fortalecidos no propósito de servir sem distinções.

A humanidade desencarnada, despida de dogmas e limitações, abre-se em realização plena em favor daqueles ainda presos a conceitos inibidores da alma. Pretos-velhos, doutores, caboclos, pintores, filósofos, cientistas e uma gama infinita de companheiros chegam a nós demonstrando a necessidade urgente de fazer algo, movimentando em nós mesmos, em favor do próximo, os recursos que promovam a libertação das criaturas.

Ao abrir as páginas desta obra, encontrará corações simples, anônimos, porém envoltos pela força da fé no Criador, com sinceridade no coração e o propósito de fazer o bem pelo bem.

João Cobú *(espírito)*,
Pai João de Aruanda[2]

[2] Psicografia de Marcos Leão, em 25 de fevereiro de 1998.

CAPÍTULO 1

Fascinação

ABRIL DE 1983. O Sol se assemelhava a um deus guerreiro, lançando suas chamas, que aqueciam a morada dos mortais, como dardos flamejantes que ameaçavam a vida dos homens. Fazia intenso calor naquele dia quando o Sr. Erasmino se dirigia para seu escritório na Avenida Paulista, que, nesse momento, regurgitava de gente, com seu trânsito infernal, desafiando a paciência daqueles que se julgavam possuidores de tal virtude.

Desde muito cedo, sentira estranhas sensações que não sabia definir, embora houvesse gastado seu precioso fosfato na tentativa inútil de encontrar explicação para o sentimento esquisito, para as impressões que tentavam dominá-lo. Nunca se sentira dessa forma e confessava a si mesmo que algo o incomodava sobremaneira.

Quando sua mãe o aconselhou a rezar antes de sair, acabou ignorando-a, pois a velha, acostumada com certas posturas místicas, não fazia lá o seu gênero. A pobre mãe tentara de todas as formas convencer o filho desnaturado a se deter um pouco para conversar, para trocarem algumas impressões. Ele se recusou terminantemente, alegando escassez de tempo, em vista das atividades profissionais.

A cabeça parecia rodopiar com a sensação de tontura que o dominava aos poucos. Eram impressões novas, diferentes daquelas consideradas normais até então. Parecia pressentir vultos em torno de si, mas, não conseguindo precisar exatamente o que acontecia, tentou mudar de pensamento, em vão. Começou a suspeitar que estava ficando louco ou, pelo menos, sofrendo de algum problema neurológico, tais os sintomas que detectava em si.

Já fazia algum tempo que não conseguia dormir direito; parecia acometido de pesadelos e passava noites acordado, sendo obrigado, pela manhã, a tomar algum medicamento para conseguir trabalhar direito.

Sintomas de melancolia aliados a depressão sucediam-se ou completavam-se, estabelecendo o clima psíquico adequado para a sintonia com mentes desequilibradas.

Erasmino foi-se desgastando psicologicamente pelo incômodo que sofria. Procurou médicos e psicólogos, gastando muito dinheiro em tentativas que se provaram inúteis em seu caso particular.

Aos poucos, foi-se achando perseguido pelos colegas de trabalho. Em todos via adversários gratuitos que, segundo suas suspeitas, o espreitavam para tentar de alguma forma e por motivo ignorado se livrar dele, tomar o seu lugar no emprego ou interferir em sua vida.

A psicose foi a tal ponto que, mesmo em relação aos familiares, pensou sofrer perseguição. Não adiantavam os conselhos da mãe, e as sessões com o psicólogo já haviam terminado sem se obter algum resultado mais definido.

Seguindo o conselho de "amigos", começou a frequentar lugares sob suspeita moral, entediando-se com aventuras sexuais, que, de pronto, tornaram sua vida um tormento ainda maior. Foi justamente a partir de tais aventuras que a problemática começou a piorar.

– Erasmino! Erasmino!

Eram sussurros. A princípio distantes e depois mais constantes, em casa, no trabalho ou nas tentativas de diversão.

À noite parecia ouvir vozes que chamavam pelo seu nome. O desespero aumentou quando, determinado dia, ao levantar-se, deparou com um vulto de homem prostrado à entrada de seu quarto. A visão se apresentava aos seus olhos estupefatos como sendo de um senhor idoso, todo envolto em roupas esfarrapadas e apresentando os dentes podres, com medonho sorriso emoldurando o rosto. Percebeu ainda, antes de desmaiar, o mau cheiro que exalava da estranha aparição, causando-lhe intenso mal-estar.

Entre imagens de pesadelo e da realidade, pôde perceber-se em ambiente diferente de onde se encontrava o seu corpo físico. Parecia algo familiar. Não era tão desagradável na aparência aquele lugar. As impressões estranhas que sentia vinham de algo que pairava no ambiente, talvez da atmosfera local.

Em meio a vapores que envolviam sua mente, quem sabe do próprio lugar onde se encontrava, percebeu estranha conversa.

Sentado em uma cadeira de espaldar alto, um espírito estava de conversa com alguém que lhe parecia de certa forma familiar:

– Nós o queremos exatamente como se encontra. Sua mente está confusa e não acredita muito em nossa existência. Aos poucos vamos minando-lhe as resistências psicológicas, e o caos estabelecer-se-á.

Gargalhadas foram ouvidas naquela situação e na

paisagem mental em que se envolvera. Tal pesadelo parecia não ter fim, quando se sentiu atraído ao corpo pelos gritos de alguém.

Quando acordou, secundado pelos familiares aflitos, resolveu contar todo o tormento que vivia há alguns meses.

– Procurei médicos, psicólogos e até já fiz uso de alguns medicamentos, mas tudo foi em vão, nada surtiu efeito. Acredito que esteja ficando louco, ou alguma coisa semelhante...

– Que é isso, meu filho? – falou a mãe, que tudo ouvia, desconfiada.

– Eu, hein? Parece até caso de mediunidade – aventurou a irmã.

Erasmino levantou-se furioso com as duas, pois não admitia a hipótese de alguma interferência espiritual, a tudo julgando como produto de sua própria mente. Por mais que procurasse a causa dos males que o acometiam, não conseguia uma explicação lógica, racional.

Os dias se passaram, e o clima era de intranquilidade entre os familiares, devido à atitude de Erasmino para com sua irmã. A tensão se estabelecera, em razão das dificuldades em solucionar o caso, que a cada dia parecia mais e mais complicado.

Novamente estava em casa, desta vez preparando-se para sair com alguns amigos, quando, ao entrar na sala, estranho mal-estar o dominou. Parou entre os umbrais da porta. Os amigos, que naquela ocasião já sabiam o que vinha ocorrendo, ampararam-no, conduzindo-o para o sofá, providenciando uma bebida para que ingerisse, tentando amenizar a situação.

O efeito da bebida foi como uma bomba. Imediatamente tudo girou à sua volta, e um torpor o invadiu de imediato, levando-o quase à inconsciência. Começou a gaguejar, não conseguindo coordenar as ideias que lhe afluíam à cabeça. Num misto de pavor e desespero, por desconhecer o que se passava com ele, tentava impedir que sua boca emitisse palavras que já não dominava mais. Com o transe estabelecido, ouviu sair de sua própria boca, com entonação diferente da que lhe era própria, as palavras, nem tanto corteses:

– Miseráveis, miseráveis!!! – falava com estranha voz. – Eu o destruirei, eu farei com que repare o mal que me causou – prosseguia, transtornando todos, que ouviam estarrecidos a voz diferente que saía de sua boca. – São todos covardes, têm medo de mim; não sabem o que pretendo nem quem eu sou? – continuou a falar a voz que fazia uso de suas cordas vocais, causando o desespero da família e dos amigos, que tentavam em vão chamá-lo pelo nome, pretendendo acordá-lo do transe, sem ao menos saberem o que se passava.

Depois de muitas tentativas, prostrou-se finalmente, ante os olhos aflitos de sua mãe e de sua irmã, que eram atendidas pelos amigos.

Olhos esbugalhados, Erasmino chorava como criança, pois conservara a plena consciência do ocorrido, não conseguindo, no entanto, coordenar as palavras que lhe saíam da boca.

O que ocorreu depois foi um verdadeiro interrogatório que os amigos lhe faziam, enquanto Niquita, sua mãe, corria chamando a vizinha para auxiliá-la, pois nunca vira o filho em situação semelhante.

– Sabe, D. Niquita, eu bem que queria muito lhe falar desde há alguns dias, mas a senhora não me dava oportunidade.

– Eu não sei o que está acontecendo com meu filho, D. Ione, ele está muito diferente, mas o que ocorreu agora foi o máximo que eu poderia aguentar. Eu tenho medo do meu próprio filho. Imagine, como posso conviver com tudo isso? É tudo tão estranho que não me restou outro jeito senão recorrer à sua ajuda – falou, chorando.

– A senhora tem que ter muita fé, pois o caso de

Erasmino pode ser muito difícil. Eu acho que ele é médium e tem que desenvolver; por isso, ele está levando couro dos espíritos. Olha, eu sei de casos em que a pessoa até chegou a ficar louca por não obedecer aos guias. É um caso muito sério.

– Mas o que eu posso fazer para ajudar o meu filho? Ele não sabe mais o que fazer para ficar livre do problema. Está desesperado.

– Faz assim, eu hoje vou lá na sessão de Mãe Odete e falo com ela. Quem sabe ela pode nos ajudar? Mais tarde, então, nós duas vamos lá e conversamos com ela juntas, talvez até Erasmino nos acompanhe e faça um tratamento lá no centro.

– Você frequenta esse tipo de lugar? Como você nunca me falou nada?

– E a senhora não sabe? Eu sou médium de berço, e olha que Mãe Odete me disse que eu sou daquelas bem fortes e que os meus orixás trabalham nas sete linhas.

– Mas o que significam essas sete linhas? Eu não entendo nada disso.

– Olha, D. Niquita, eu também não entendo direito o que é isso, não, mas que é verdade é, pois Mãe Odete é pessoa muito respeitada no meio, e ela não iria mentir para mim. Agora, cá pra nós, a senhora podia ir conversando com Erasmino enquanto eu falo com minha mãe de santo, tentando convencê-lo a ir fazer uma visita lá no terreiro. Assim, quem sabe ele melhora?...

Durante uma semana, Erasmino experimentou profunda depressão, precisando recorrer a medicamentos antidepressivos para tentar se reerguer. Novamente foram consultados médicos e um psicólogo amigo da família, que em vão tentou os recursos conhecidos para demover Erasmino daquele estado.

D. Niquita, mulher simples, fazia suas orações rogando ao Alto que enviasse recursos. Não sabia mais o que fazer para ajudar o filho, que sofria muito com as coisas "estranhas" que estavam acontecendo. A família se tornara um caos. O pobre filho corria o risco de perder o emprego e os amigos, que já não apareciam como de costume. Orou durante noites seguidas, até que do Alto apareceram recursos, mas era necessário que ela pudesse captar os pensamentos que lhe eram sugeridos.

CAPÍTULO 2

Mãe Odete

IONE DIRIGIU-SE à casa daquela que dizia ser sua mãe de santo. Tentaria algo em benefício de Erasmino. Encontrou Mãe Odete em meio a um ritual de magia e resolveu esperar. Passou-se muito tempo quando, então, foi atendida pela mulher, que se dizia conhecedora dos mistérios da vida e da morte.

– Pois é isso, Mãe Odete, eu queria muito ajudar essa família e resolvi recorrer à sua ajuda, a fim de fazer uma consulta para Erasmino. Quem sabe a senhora não encontra um jeito para ajudar? Eu aposto que é caso de mediunidade...

– Vamos consultar os guias, minha filha. Antes de ele vir aqui, vamos fazer uma consulta e ver do que se trata. Você sabe, às vezes tem casos que nem nós podemos resolver...

– Como, não pode? Então a senhora não é dona dos espíritos?

– Dona? Eu apenas faço contatos com eles, e eles

me dizem o que fazer conforme o caso, mas dona eu nunca disse que era...

Feitos os preparativos, Odete sentou-se numa cadeira em volta de uma mesa com toalha branca, onde havia uma pequena peneira com conchas dentro e colares em volta. Uma pequena campainha foi acionada. Era o sinal de que Odete estava entrando em contato com os espíritos, seus guias. Pronunciava palavras numa língua incompreensível para Ione, enquanto balançava a campainha. Juntou as pequenas conchas nas mãos e jogou-as dentro da peneira.

Incômoda sensação dominou as duas, enquanto Odete olhava o resultado da queda das conchas. Arrepios intensos percorriam os corpos das duas mulheres, enquanto estranha força jogou Odete para longe da mesa, para espanto de Ione, que ficou extremamente assustada com o ocorrido. Nunca vira algo assim.

Quando Odete se dispôs a consultar os espíritos sobre o caso de Erasmino, estabeleceu imediatamente a sintonia mental com o caso e atraiu para perto de si a entidade que acompanhava o rapaz. O espírito aproximou-se com intenso magnetismo primário, cheio de ódio porque alguém queria interferir no "seu" caso. Tentou de todas as maneiras impedir que Odete participasse do andamento da questão em que estava envolvido com Erasmino. Para isso, utilizou--se de uma força que se assemelhava à sua própria: os fluidos de Odete e de Ione. Concentrou-se intensamente e, sugando as energias de ambas, logrou atingir Odete fisicamente e jogá-la distante da mesa onde se encontravam as duas.

Foi o suficiente para espantar Ione e colocar fim à tentativa. Odete, por sua vez, aconselhou que encaminhassem o jovem para outro lugar. Existia, em outra localidade, um centro umbandista que era diferente do seu. Diziam que só trabalhavam com forças do bem, com energias superiores. Quem sabe não poderiam ajudar? Ela, afinal, não estava bem de saúde e, com muitas atividades por realizar, não conseguiria solucionar a problemática.

Na verdade, o conselho foi uma confissão de sua própria incapacidade para resolver o problema de Erasmino. Tinha medo. Nunca antes encontrara tanta energia como a que a atingira naquela ocasião. Fez de tudo para encaminhar Ione para outro terreiro, que foi embora um tanto decepcionada com o ocorrido, mas, de certa forma, ainda continuava querendo ajudar. Procurou a tenda da qual ouvira falar anteriormente. Diziam que era diferente, mas não importava, iria assim mesmo. E foi o que fez.

Procurou se informar direito e, assim que pudesse, iria conduzir D. Niquita e Erasmino ao tal lugar. Com prudência, frequentou algumas sessões antes de indicá-lo à amiga e, depois de algumas dúvidas esclarecidas, resolveu então indicar o caminho a D. Niquita e à família.

Foi providencial o caso ocorrido com Odete e Ione. Muitas vezes, circunstâncias adversas são emissárias de oportunidades de acerto encaminhadas às vidas das pessoas. Algumas investidas das sombras, em vez de atrapalharem, costumam ser revertidas em benefícios, conforme as circunstâncias.

CAPÍTULO 3

Um recurso diferente

VISITÁVAMOS DETERMINADO posto de socorro deste lado da vida, em tarefa de estudo, quando nos foi permitido participar da equipe que ajudaria no caso de Erasmino. Tentaríamos algo visando ao reequilíbrio do rapaz, que era tutelado por bondosa entidade, a qual fora sua avó na existência física.

Há muito desejávamos fazer estudos a respeito da obsessão, e aquela era a oportunidade que sempre quiséramos ter. Não a perderia em hipótese alguma.

Demandamos o lar de D. Niquita, com a curiosidade que me era característica desde que me entendia por gente sobre a Terra – se bem que continuo sendo gente, embora outra seja a minha residência nesta nova etapa da vida em que me encontro. Sou agora uma alma do outro mundo, arvorando-se em comentarista e repórter do Além e do aquém, fazendo suas observações, não como o fazia na Crosta, mas agora sob uma nova ótica: a ótica espiritual.

Encontramos a casa de D. Niquita em intensa agitação naquela tarde de sábado. A vizinha, D. Ione, estava convencendo Erasmino a participar de uma sessão de terreiro, juntamente com duas amigas suas, pessoas extremamente místicas e com argumentos. Diante do desespero de todos, a sugestão foi aceita imediatamente, na esperança de se resolver o problema de uma vez por todas.

O companheiro Arnaldo, que conduzia nossa equipe espiritual, falou-nos, sempre com sabedoria:

– Estamos diante de um caso muito delicado e que requer firmeza por parte dos envolvidos. O nosso Erasmino necessita urgentemente receber auxílio para seu equilíbrio espiritual. Encontra-se abatido psicologicamente e, dessa forma, torna-se presa fácil nas mãos de seu verdugo do passado, que apenas espreita o momento ideal para desfechar golpe infeliz que poderá levar o nosso amigo à loucura definitiva. É necessário, no entanto, que respeitemos os posicionamentos da família e principalmente o de Erasmino, esperando que ele tome uma posição mais decidida e crie ambiente mental propício para que possamos interferir em seu benefício.

– Mas o que você acha a respeito da iniciativa da mãe e da vizinha de conduzi-lo a um terreiro de umbanda para procurar resolver o problema?

– Tentaremos auxiliar como pudermos, conscientes de que a bondade divina se manifesta conforme os instrumentos de que dispõe para trabalhar. Não é pelo fato de ir a um terreiro de umbanda que o nosso irmão não será atendido convenientemente. No seu caso, talvez necessite realmente de um choque com vibrações mais intensas para acordar para os problemas da vida. Observemos primeiro e depois ajuizaremos quanto à forma de auxiliar o companheiro.

– Mas não seria mais conveniente induzi-los a procurar um centro de orientação kardecista em vez de um terreiro? – perguntei curioso.

– Nos terreiros umbandistas, encontramos igualmente os recursos necessários para atuarmos sobre nossos irmãos. Conheço pessoalmente espíritos de extrema lucidez que militam com os nossos irmãos umbandistas no serviço do bem. Os problemas que às vezes encontramos não se referem à umbanda propriamente, como religião, mas à desinformação das pessoas, ao misticismo e à falta de preparo de muitos dirigentes, o que, aliás, encontramos igualmente nas casas que seguem a orientação kardecista.

"Não se devem confundir as pessoas mal-intencionadas, os médiuns interesseiros, com a religião em si. Em qualquer lugar onde as questões espirituais são colocadas como uma forma para se promover, tirar proveito ou manipular a vida das pessoas, envolvendo o comércio ilícito com as esferas invisíveis, ocorre desequilíbrio e é atraída a atenção de espíritos infelizes.

"A umbanda inspira-nos profundo respeito pelos seus ideais; trabalhemos para que se alcance um grau de entendimento maior das leis da vida e que os seus orientadores espirituais encontrem medianeiros que lhes entendam os propósitos iluminativos. Deixemos de lado quaisquer preconceitos e tentemos auxiliar como pudermos."

56

Calei-me ante as palavras do companheiro espiritual e comecei a rabiscar algumas anotações que me pareciam de grande utilidade. Acredito que, a partir daquele momento, eu havia começado a ter uma nova visão do que se chamava de mistérios da umbanda, e minha visão da vida começava a modificar-se. Estava acostumado a determinados pontos de vista e me fechara a outras formas de manifestações religiosas que não aquela que conhecera como sendo a verdadeira. Antes de desencarnar, eu tivera contato com a doutrina espírita e, por influência de um amigo, pude beber-lhe dos ensinamentos, que, afinal, muito me auxiliaram quando cheguei aqui, deste lado.

Mas, no Brasil, existem outras expressões religiosas que têm como base o mediunismo, e foi a partir dessa experiência que resolvi ditar algo a respeito. Quem sabe outros, como eu, embora a boa intenção, não se conservavam com o pensamento restrito, julgando-se donos da verdade? E quem sabe não desconheciam a verdadeira base da umbanda, como também a de outros cultos afros e, por isso mesmo, os julgavam ultrapassados, primitivos ou coisa semelhante? Afinal, eu não poderia deixar passar aquela oportunidade, que, para mim, seria de intenso trabalho e aprendizado, e quem quisesse poderia se beneficiar de alguma forma com meus apontamentos. Não havia deixado na sepultura minha vontade de aprender e minha curiosidade, às quais devo os melhores momentos que tenho passado no meu mundo do Além.

O fim de semana transcorreu com a família de Erasmino muito preocupada quanto à melhora dele, pois ainda não conseguira sair do abatimento a que se entregara.

Chegamos próximo à cama onde ele se encontrava, perdido em suas preocupações íntimas, e Arnaldo convidou-me a observar com atenção a região cerebral de Erasmino.

Acheguei-me por detrás dele, e o que vi era um

misto de beleza e terror. Seu cérebro parecia uma usina elétrica com imensas reservas de energia que brilhavam em cores variadas, à semelhança de luzes multicoloridas na noite de uma cidade grande. Mas, enlaçada no córtex cerebral, uma rede tenuíssima de filamentos fluídicos estava presa, como se fosse uma teia de aranha que pulsava, envolvendo o centro cerebral, variando sua tonalidade entre prateado e negro.

Assustado e, ao mesmo tempo, maravilhado com o que observava, olhei para Arnaldo, que me socorreu imediatamente com a explicação:

– O nosso amigo encontra-se sob a influência de entidade espiritual que, de certa forma, entende de métodos de obsessão mais aperfeiçoados, no âmbito do magnetismo. Essa malha magnética que envolve o córtex cerebral é responsável pelas imagens mentais que o atormentam constantemente, além de promoverem a recordação constante de situações vividas em seu passado espiritual. Apesar do cuidado de seus verdugos desencarnados para que isso se dê de forma lenta, acabam por causar o sentimento de angústia e os ataques de depressão, inexplicáveis para os médicos e os psicólogos que o atenderam. Mas não é somente isso que o atormenta. Observe com mais detalhe o companheiro.

Agucei mais a visão espiritual e pude perceber que, da rede magnética, partiam delicados fios, invisíveis para os encarnados, que se juntavam na região do plexo solar e se uniam aos feixes de nervos, alastrando-se em várias regiões do sistema nervoso. Além disso, pude observar imensa quantidade de larvas astrais, que, em comunidades, pareciam absorver-lhe as energias vitais.

– Essas comunidades de parasitas – falou Arnaldo – são as responsáveis por seu estado debilitado. Atuando com voracidade sobre seu duplo etérico, absorvem-lhe as reservas de energia, desestruturando-o também emocionalmente, tornando-o facilmente influenciável por seus perseguidores. Com o sistema nervoso abalado, em virtude dessa influência, levada a efeito pelos filamentos que se interligam no plexo solar, Erasmino é um canal perfeito para a atuação de espíritos que guardam desequilíbrios semelhantes.

– Mas então ele é médium? – perguntei.

– Como não? Ou desconhece o fato de que todo ser humano é, de alguma forma, intermediário das inteligências desencarnadas? O que acontece é que muitos julgam como mediunidade apenas as questões relativas ao fenômeno mais aflorado, mas, segundo a concepção espírita, todos são invariavelmente médiuns, pois, de alguma forma, o homem sempre sofre influências externas ou influencia alguém. No caso presente, podemos ver a mediunidade do nosso companheiro se manifestando de maneira desequilibrada, por um processo doloroso, que chamamos de obsessão.

– E, se ele desenvolver a mediunidade, como alguns aconselham, será que os problemas passarão?

– Esse conselho é muito utilizado por pessoas que não têm o conhecimento estruturado em bases eminentemente kardecistas, embora em muitos centros ditos espíritas vejamos constantemente alguns dirigentes induzirem certas pessoas portadoras de determinados desequilíbrios a desenvolverem a mediunidade. Mas todo cuidado é pouco. Nesses casos, a prudência aconselha que se faça um tratamento espiritual, com a afirmação de valores morais sólidos, a fim de que o companheiro possa se fortalecer espiritualmente. É um irmão espiritualmente enfermo, e sua mediunidade guarda a característica de ser atormentada por espíritos que querem se vingar de um passado em que tiveram experiências em comum. Não se deve desenvolver algo que está enfermo. É preciso se reequilibrar para, depois, se atender ao compromisso assumido na área mediúnica, se é que ele realmente existe.

– Mas não podemos fazer alguma coisa para sanar

essa influência nefasta que atua sobre ele?

– Não é tão fácil assim, meu amigo Ângelo. De nada adianta retirarmos esses fluidos que se entrelaçam no cérebro dele para, depois, retornarem sob a ação desses mesmos espíritos, pois eles só conseguem tal influência porque encontram sintonia com a mente invigilante de Erasmino, com seu passado e com sua insistência em manter-se nos mesmos padrões mentais de seus perseguidores. É necessário que ele desperte para a urgência da mudança íntima, elevando seu padrão vibratório, a fim de se desligar dessa influência daninha. Para isso, a umbanda, com seus rituais e seus métodos próprios, será excelente instrumento de despertamento do nosso irmão. Ele encontra-se com o pensamento muito solidificado em suas próprias concepções de vida e, como você vê, não se encontra sensível aos apelos mais sutis do espiritismo, que, no momento propício, deverá falar-lhe à razão. Ademais, a família guarda certos pendores para as manifestações de mediunidade tal como se dão na umbanda, e convém não violentarmos nossos irmãos. Procuremos ajudar conforme formos solicitados, e a bondade divina haverá de conduzir cada um ao seu lugar na grande família universal que somos todos nós.

CAPÍTULO 4

O reduto das trevas

Fizemos uma prece junto a Erasmino e lhe aplicamos um passe calmante, proporcionando-lhe momentos de mais tranquilidade, até que pudéssemos socorrê-lo mais detidamente. Nesse meio tempo, sua genitora pareceu ter-nos captado a presença e recolheu-se em prece, mentalizando a imagem de Nossa Senhora das Graças, rogando-lhe bênçãos para o filho. Suave luz envolveu-lhe o semblante e, juntando-se às energias de Arnaldo, projetou-se sobre a fronte de Erasmino, que adormeceu suavemente.

Observei, novamente extasiado, o que acontecia diante de meus olhos. Enquanto o corpo do moço se encontrava estendido em sua cama, desdobrava-se diante de nós o espírito dele, que, meio atordoado, não conseguiu divisar-nos a presença. Parecendo um robô, dirigiu-se a esmo para a rua, como se fosse teleguiado por forças desconhecidas, embora se mantivesse ligado ao corpo físico por um cordão fluídico finíssimo, de coloração prateada.

Acompanhamo-lo. Seguia por regiões inóspitas da paisagem espiritual, parecendo dirigir-se a lugar conhecido. Avistamos ao longe um edifício construído com matéria astralina e, portanto, invisível aos olhos comuns dos homens encarnados.

Muitos pensam que, deste lado da vida, tudo é apenas névoa ou nuvens que pairam pelo espaço, em meio a fantasmas errantes. Enganam-se. Desafiando a pretensa sabedoria de muitos pseudossábios e religiosos do mundo, a vida continua estuante, com muitas vibrações ou dimensões que aguardam ser devassadas pelo homem do futuro, para sua elevação espiritual. Não mais continentes a serem descobertos, nem países a serem conquistados, mas um mundo todo diferente, em se tratando da matéria que o constitui. E falamos *matéria* porque aqui também a encontramos, mas vibrando em estados diferentes do da matéria física. Pode-se – quem sabe? – chamá-la de antimatéria, antiátomo, antielétron ou, talvez, matéria astral. Mas o que importa não são as denominações ou os vocabulários já há muito obsoletos com referência às manifestações da vida no universo, mas a realidade desta mesma vida, que, para nós, os desencarnados ou os *defuntos* – como somos muitas vezes chamados aí pelos de colarinhos engomados –, segue sempre sendo um mundo vibrante, com suas construções forjadas na matéria sutil do nosso plano ou dimensão. Essas construções encontram-se espalhadas por muitos lugares do plano astral e, muitas vezes, justapõem-se às construções físicas que fazem os humanos.

O prédio que avistamos fugia ao que comumente se espera de uma construção desse tipo, utilizada para a finalidade com que seus habitantes desencarnados a usavam. Geralmente se espera que espíritos atrasados habitem regiões negras, com cheiro ácido e muita sujeira, o que refletiria seu estado íntimo de desequilíbrio. Mas até eu me enganei. Embora a paisagem externa não perdesse para as melhores descrições de Dante em sua *Divina comédia*, a imponência do prédio desafiava os melhores arquitetos da Terra, e a perfeição de seus detalhes certamente faria inveja aos amantes das aparências exteriores.

Com a presença de Arnaldo, segui atrás de Erasmino, que se dirigia para o que se poderia chamar de andar térreo do portentoso edifício. Não sabia direito para onde nos dirigíamos, quando Arnaldo veio com a explicação:

– Não se preocupe, estamos sob o abrigo do bem.

Aqui, neste prédio, posso afirmar que estudam as mesmas forças e energias que nós estudamos. Entretanto, empregam-nas em sentido contrário. A nossa presença não será percebida, pois, mesmo sendo desencarnados, como nós, seus habitantes e trabalhadores, se assim podemos chamá-los, estão com as mentes embotadas por vibrações infelizes, especializando-se em formas de ataques mentais ou magnéticos, para que possam atuar contra seus irmãos encarnados. Portanto, permanecem em vibração diferente da nossa, não nos podendo perceber a presença espiritual. Continuamos invisíveis para eles, como para os encarnados. Tudo é questão de se compreenderem as dimensões espirituais.

Adentramos a construção atrás de Erasmino, que permanecia sob domínio irrestrito de alguma força misteriosa.

Tudo era limpo. O chão que pisávamos era de material semelhante ao granito, conforme observara na Terra. Um balcão iluminado funcionava como recepção, onde o espírito de uma mulher, de aparência jovem, recebia outros espíritos que ali chegavam com objetivos que eu, no momento, nem imaginava. Era a imagem do luxo exagerado. Luminárias pendiam do teto em cores variadas, parecendo cristais. Espíritos iam e vinham em várias direções. A cena era de difícil descrição, pela riqueza de detalhes. Alguns dos espíritos estavam vestidos conforme o figurino de homens finos do século xx, trazendo no semblante a arrogância de certos magnatas que pude conhecer quando encarnado. Outros se mostravam em trajes de épocas variadas, como se encontrássemos ali personagens de tempos históricos diferentes; e outros ainda, nem tão arrumados assim, mais pareciam seres trevosos, com aparências terríveis, que, caso se mostrassem aos encarnados, certamente causariam pavor. Era toda uma população de almas "do outro mundo" – ou *deste* mundo! – que entravam e saíam do prédio.

Olhando por aquilo que julguei serem vidraças, pude ver que, do lado de fora, intensa tempestade se fazia, dificilmente sendo possível observar o ambiente externo.

Em frente a algo que parecia um elevador, havia uma inscrição em vários idiomas: "Aqui temos todas as possibilidades de executar seus planos de vingança. O ódio e o desespero são as forças que utilizamos para conduzi-lo ao seu objetivo. Por favor, procure na recepção a informação adequada para seu caso e conte com nosso sistema, pois ele nunca falha". Abaixo da inscrição, estava assinado: "Os Magos da Mente".

Todo aquele conjunto arquitetônico fora, então, elaborado com a finalidade de abrigar espíritos dedicados a planos funestos de vingança. Era toda uma organização das trevas, com requintes da modernidade, da tecnologia e os demais recursos que o homem encarnado conhecia na atualidade, mas que certamente iriam além, com possibilidades que nós mesmos desconhecíamos.

Entramos no elevador, ou algo parecido, acompanhando o espírito desdobrado de Erasmino, que permanecia sob domínio invisível. Subimos vários andares e paramos em local desconhecido, onde havia nova placa, com os dizeres: "Ala de Ciências Psicológicas".

Seguimos Erasmino por extenso corredor, por onde trafegava grande quantidade de espíritos, enquanto outros esperavam sentados à porta de algumas salas, como se esperassem para ser atendidos. Havia placas de "Silêncio" em várias portas, como se fossem consultórios de moderno edifício. O moço desdobrado parou mecanicamente em frente a uma porta, que se abriu assim que ele chegou. Entrou silencioso, e nós o acompanhamos.

A sala era imensa, consideradas as proporções de outras semelhantes na Terra, com decoração esmerada e uma luminosidade avermelhada envolvendo todo o apartamento. Móveis modernos foram moldados na matéria astral, de maneira a lembrar um consultório de psicanálise da Crosta.

Sentado atrás de algo que se afigurava uma escrivaninha, estava um espírito de aparência grave, estatura alta, trajando um moderno terno preto, que, se visto por alguém da Crosta, seria considerado de extremo bom gosto. Era um perfeito *gentleman*, como o chamariam os encarnados.

Em frente a ele, sentado numa cadeira de recosto, um velho, não tão arrumado como o outro, aparentando mais ou menos 60 anos de idade. Mais ao fundo, dois outros espíritos de aparência jovem, impecavelmente trajados, com cabelos longos presos atrás, formavam o grupo que ali encontramos.

Tudo me parecia muito estranho, mas Arnaldo pediu-me para observar apenas, pois mais tarde teríamos como retornar ali, para realizar alguma tarefa que teria relação com o caso.

– Eis nosso pupilo – falou o espírito que parecia comandar a situação. – Veja como obedece-nos a influência. Aos poucos, irá se submetendo ao nosso domínio, até que esteja totalmente à nossa mercê.

– Mas vocês irão acabar com ele para mim? Esse miserável não me escapará, e espero que tenham condições de fazer o mesmo com aquela bruxa velha que se diz ser mãe dele – falou o outro espírito que parecia mais velho, o responsável pela desdita de Erasmino.

– Claro, claro – redarguiu o outro. – Afinal, você é nosso cliente, e aqui nós não brincamos em serviço. Vê meus dois amigos ali? – apontou para os dois espíritos que se mostravam mais jovens. – São meus melhores magnetizadores: Elial e Dario. São, na verdade, dois excelentes psicólogos, que conhecem a fundo os problemas da alma humana. Trabalham diretamente sob o comando central. Veja como atuam e se certifique de que nós cumprimos o que prometemos.

Ainda quando falava, os dois espíritos conduziram Erasmino até um divã e o fizeram deitar-se. Elial postou-se a um lado, enquanto Dario localizou-se num pequeno assento próximo à cabeça de Erasmino. O primeiro aplicava-lhe intensas radiações magnéticas na região do bulbo raquidiano, e o outro falava mansamente, com um tom monótono:

– Erasmino, Erasmino. Você ouve apenas a minha voz. Sinta-se em casa, sereno e tranquilo. Sua mente é agora a minha mente; seus pensamentos, meus pensamentos. Você está cada vez mais sob meu domínio. Você está aos poucos perdendo a identidade. Mergulha no passado, não se encontra mais no presente...

Aos poucos, a entidade projetava sobre Erasmino intenso magnetismo, enquanto continuava:

– Volte ao passado. Volte ao passado. Volte, volte! Você está cada vez mais retornando, em outro tempo, outra época. Lembre-se: você não se chama mais Erasmino. Seu nome é outro, o tempo é outro. Estamos em seu passado.

Cenas singulares se desenrolaram, então. Envolvendo as entidades magnetizadoras, como numa projeção holográfica, foram se passando cenas e mais cenas, como num filme, mas em sentido contrário. Parecia que estavam mergulhando em memórias do tempo; e, em todas essas projeções que, como uma névoa, os envolviam, podia-se ver a figura de Erasmino em várias situações. Sua mente parecia irradiar estranhas vibrações. Contorcia-se sob o poder magnético daqueles espíritos, que continuavam sua estranha tarefa:

– Você está bem, muito bem. Mantenha-se agora fixo nessas recordações. Depois nós iremos mais longe no tempo. Você se manterá nesta situação. Está sob o domínio de nossas vozes...

Os espíritos que observavam de longe sorriam, parecendo satisfeitos com o que acontecia. Ouvimos o dirigente das trevas falar:

– Temos aqui modernos recursos para fazer qualquer um retornar ao seu passado. Mas não podemos fazer milagres. Temos que ir devagar, um pouco em cada sessão. Depois que for despertado todo o seu crime, ele estará irremediavelmente em nossas mãos. Por ora, o ligaremos a alguns fatos desagradáveis de seu passado mais recente. Depois, através da indução, estará em suas mãos. Nós o entregaremos a você, como nos encomendou.

A um sinal seu, os dois magnetizadores interromperam a estranha terapia do mal. Continuou:

– Como sabe, nosso trabalho tem um preço.

– Sim! Sim! Eu sei e estou disposto a tudo para me vingar...

– Pois bem! Você tem muitos contatos entre os do submundo, e nós temos interesses em comum – as entidades diabólicas discutiam planos de destruição e interferência no progresso individual e coletivo.

Dario, espírito de aparência jovem, bem-apresentado, olhos azuis intensos e sorriso largo, a um sinal do chefe, conduziu Erasmino para fora daquele prédio, levando-o para outra ala.

Acompanhando-os, entramos em outro ambiente. Estava escrita a seguinte frase no portal de entrada: "Ala de Implantes e Cirurgias".

Olhei para Arnaldo e, a um sinal seu, permaneci calado, observando. Diante de nossa visão espiritual, surgiu um estranho laboratório naquela construção das sombras. Aparelhos estavam espalhados por toda a ala, dispostos de maneira extremamente organizada. Espíritos vestidos de branco, parecendo enfermeiros e médicos, transitavam entre a aparelhagem, em perfeita disciplina e silêncio. Parecendo um moderno computador, estava sobre uma mesa um aparelho que mostrava contornos de um corpo humano em três dimensões, e, mais afastadas, várias macas, o que sugeria uma sala de cirurgia.

Erasmino-espírito, que fora para lá conduzido, como hipnotizado, sob o domínio de Dario, deitado sobre a maca em decúbito ventral, esperava a intervenção diabólica dos espíritos trevosos. A organização era levada ao máximo de importância.

Um dos espíritos vestidos de branco aproximou-se de Dario e, após trocarem breves palavras, dirigiu-se ao que se assemelhava a um computador. Falando algo por uma espécie de microfone, recebeu as informações de que necessitava, enquanto a imagem holográfica de Erasmino aparecia diante de si. Era a extrema técnica a serviço das trevas.

Dirigiu-se, então, para a maca onde o espírito desdobrado do rapaz se encontrava e começou uma estranha cirurgia. Pequeno aparelho foi implantado em determinada região do cérebro perispiritual de Erasmino, para produzir impulsos e imagens mentais caso a técnica de indução psicológica falhasse. Eram extremamente rigorosos em suas realizações e não cometiam nenhuma imprudência. Tudo previram naquele caso doloroso, mas não sabiam da nossa presença no local, por estarmos em vibração mais elevada. Seus aparelhos não captavam nossa presença espiritual, nem eles tinham condições de detectar nossa vibração, por se localizarem em faixa mental inferior, com objetivos ignóbeis. As artimanhas das trevas poderiam ser consideradas perfeitas, não fossem suas reais intenções.

Dario falava com o médico das trevas, com voz pausada e educação esmerada. Após a cirurgia, que não durou mais que alguns minutos, Erasmino foi liberado pela falange do mal, que permanecia em colóquio sombrio.

Enquanto conversavam, Erasmino foi retornando pelo mesmo caminho por onde viéramos. Acompanhamo-lo de volta, anotando todos os detalhes da situação. Deixamos as perversas entidades no seu estranho conluio, e segui calado o companheiro Arnaldo, que logo começou a me explicar:

– Vê, meu amigo, como os espíritos trevosos são organizados? Neste prédio, encontra-se um dos postos mais avançados das sombras. Nele trabalham cientistas que se especializaram em doenças viróticas, epidemias e processos requintados de interferência nas estruturas celulares dos irmãos encarnados. Outros, psicólogos, psiquiatras e psicanalistas – os quais, como estes que presenciamos, são especialistas nas questões da mente e nas modernas técnicas de psicoterapia –, pretendem atuar diretamente nas mentes de dirigentes mundiais, com objetivos diabólicos. Pessoas que ocupam cargos importantes no mundo terreno, religiosos, pastores e dirigentes espirituais são suas vítimas prediletas ao utilizarem o magnetismo, que sabem manipular com maestria. Toda essa organização lança mão dos modernos métodos desenvolvidos na Terra. Entretanto, fazem-no para prejudicar, atrasando o progresso da humanidade, pois sabem que bem pouco tempo lhes resta para continuarem com seus desequilíbrios, espalhando a infelicidade na morada dos homens: em breve poderão ser banidos da psicosfera do planeta e não ignoram o destino que podem ter. Os espíritos infelizes que lhes contratam os serviços especializados se mantêm a eles ligados por processos que não compreendem, pois eles mesmos se enganam com o poder ilusório que julgam possuir. Tentam fazer-se deuses, e são, na realidade, apenas homens, embora desenfeixados do corpo carnal.

– Mas eu não esperava que estes espíritos fossem tão requintados em suas ações e métodos... – falei para Arnaldo.

– Muitos pensam, inclusive os espíritas, que as entidades das trevas são espíritos que pararam no tempo e que se utilizam ainda de métodos antiquados de domínio, quais os que se utilizavam na Idade Média da Terra ou nas civilizações mais antigas, que desapareceram ao longo dos séculos. No entanto, podemos observar que tais criaturas infelizes, como os homens na Crosta, se disfarçam sob o manto enganador das aparências, das construções suntuosas, sob o abrigo da vaidade e do orgulho maldissimulados e, como os homens terrestres, guardam sob essa aparência a sordidez do caráter inferior a serviço de intenções inconfessáveis. Também as forças das trevas têm o requinte da civilização.

Calados, seguimos Erasmino de volta ao ambiente doméstico onde repousava seu corpo físico. De olhos esbugalhados, aproximou-se do veículo de carne e justapôs-se a ele, embora permanecesse entre o sono e a vigília.

– Temos que conduzi-lo imediatamente a tratamento – falou Arnaldo. – Teremos que procurar ajuda em mais de um lugar. Por enquanto, os danos são reversíveis, mas teremos que apressar a ajuda.

Oramos juntos e partimos para outros sítios à procura de socorro.

CAPÍTULO 5

Primeiros contatos

NIQUITA RESOLVEU procurar orientação na tenda de umbanda que Ione frequentava. Embora um pouco apreensiva, pois achava Ione um pouco mística, não conhecia outra maneira de ajudar seu filho. Venceu as primeiras barreiras criadas pela desinformação e pôs-se a caminho.

A tenda umbandista ficava do outro lado da capital, em bairro afastado da região central. D. Niquita nem ao menos viu o barulho e a confusão do trânsito, tais as suas preocupações. Ia acompanhada de Ione, que falava o tempo todo, como se quisesse catequizar a companheira e torná-la umbandista também. D. Niquita não estava interessada em outra coisa diferente da melhora do filho. Para ela nada mais importava. Estava disposta a tudo e, como boa católica que era, estava armada com seu rosário e uma dezena de nomes de santos na cabeça, rezando a salve-rainha e dirigindo-se a uma tenda para falar com os "guias", como Ione chamava os orientadores espirituais da religião.

Umbanda. Um mistério envolve de tal forma essa manifestação religiosa que se torna difícil para o leigo saber sua origem e seu significado. Seus rituais tornaram-se tão misteriosos que os brasileiros, com o seu misticismo natural, foram explorados por aqueles que nenhum escrúpulo tinham em relação à fé alheia. Mas isso não é característica da umbanda. Por todo lugar onde há o sentimento religioso, manifestam-se pessoas inescrupulosas, que abusam da fé alheia. Protestantes, católicos, espíritas, espiritualistas, esotéricos e também umbandistas não estão livres do comércio e do abuso das almas alucinadas. Mas, no Brasil – essa terra abençoada, onde as pessoas preferem julgar antes e, talvez, conhecer depois –, a umbanda, por se manifestar, na maioria das vezes, para aqueles possuidores de uma alma mais simples, de uma fé menos exigente, que os torna vítimas dos pretensos sábios e donos da verdade, recebeu uma marca, um rótulo, que, aos poucos, somente aos poucos, vai-se desfazendo. Isso ocorreu também devido às manifestações de sectarismo religioso, antifraterno e anticristão de uma minoria, o que gerou o preconceito contra os rituais, o vocabulário e as devoções da umbanda.

Esse preconceito velado fazia com que D. Niquita se armasse contra tudo. Preparou o talão de cheques, pois ouvira falar que nestes lugares se cobrava, e muito, para realizar um "trabalho", quem sabe algum despacho ou ebó, como ouvira algum dia na televisão. Mas bem que tinha certa inclinação para essas coisas. Embora fosse católica apostólica romana, de vez em quando, recorria às rezas, aos benzimentos e a outras possibilidades que Ione lhe ensinava, mesmo porque "Ione é uma médium muito forte, só não é desenvolvida. Mas o que importa? Médium é médium" – pensava ela em sua ignorância das coisas espirituais.

Dentro do carro, olhava para Ione meio desconfiada, imaginando encontrar no centro toda uma parafernália de instrumentos de culto, animais para serem mortos, velas e defumadores, cânticos estranhos e muita cachaça. Afinal, não era assim que falavam nos comentários de televisão, e não era assim que a "caridade" do povo se referia ao culto? Talvez encontrasse também um povo esquisito, vestido com roupas espalhafatosas, com imensos colares extravagantes pendentes do pescoço e fumando charutos.

– Ai, meu Deus! – deixou escapar D. Niquita. – Onde me meti?

– O que foi que a senhora disse, D. Niquita? – perguntou Ione, que se distraíra.

"Tudo bem! Tudo bem! Eu faço tudo por meu filho" – pensou D. Niquita.

– Estava apenas rezando sozinha – mentiu.

Aproximaram-se do local, que tinha aspecto agradável e era localizado em rua arborizada. Antes de chegar, pôde ver muitos carros parados em frente a uma casa de aspecto simples, mas de bom gosto. Pararam o carro e desceram. D. Niquita conservava-se pensativa e esperava ver a multidão de gente esquisita entrando escondida em algum lugar escuro e de aspecto diferente. Essa foi sua primeira decepção. Deparou com pessoas alegres, joviais, efusivas. Foi recebida com imenso carinho enquanto Ione a apresentava aos amigos, que a cumprimentavam com um "Saravá!", saudação característica de nossos irmãos umbandistas.

Adentrou a casa, ou tenda, como era chamada pelos frequentadores; então teve mais uma surpresa e – quem sabe? – uma decepção. Nada de ambiente escuro, malcheiroso, nem de pessoas diferentes. Encontrou pessoas normais. Tão normais quanto ela mesma. Sorridentes, porém respeitosas pelo ambiente onde se encontravam. O cheiro de rosas e de outras ervas que não pôde identificar enchia o ambiente de um agradável odor, que lhe fazia imenso bem. Foi acalmando-se intimamente. O efeito das ervas aromáticas foi aos poucos estabelecendo aquele estado íntimo de intensa tranquilidade. Cheiro suave e agradável. Nada do que imaginara anteriormente.

O salão era de uma simplicidade que desafiava tudo que pensara antes. Havia cadeiras dispostas com regularidade para a assistência; ao fundo, uma mesa, utilizada como altar, com uma imagem de Jesus de Nazaré, duas velas acesas ao lado e copos com água formavam a maior parte dos utensílios do culto. Tudo simples. Muito simples.

Entre o altar e a assistência havia uma divisão com um espaço relativamente grande, que D. Niquita não sabia para que servia. Ela, porém, estava desarmada, decepcionada com a simplicidade do ambiente.

Ione aproximou-se de D. Niquita e conduziu-a para outra repartição da tenda, um pequeno cômodo onde ela seria entrevistada por um companheiro da casa.

– Não me deixe sozinha, pelo amor de Deus!

– Que é isso, amiga? Fique tranquila! Só vamos anotar os dados para registro.

Entraram no pequeno aposento, e pôde notar uma escrivaninha com duas cadeiras em frente e um retrato fixo na parede dos fundos. Era de um preto-velho, simpático e sorridente, que olhava para o alto como se estivesse fixando as nuvens num céu de anil.

Um senhor a atendeu com expressão de carinho e perguntou-lhe:

– É a primeira vez que vem a uma tenda de umbanda, minha senhora?

Olhando para Ione, demorou a responder:

– Sim! Claro! A minha amiga me convidou, sabe? Estou com uns probleminhas. Na verdade, não sou eu, é o meu filho, sabe?

– Não se preocupe, senhora; tudo a seu tempo. Eu apenas pergunto para saber quanto conhece a respeito do nosso culto. Como é seu primeiro contato com a umbanda, nós nos colocamos à disposição para qualquer esclarecimento às suas dúvidas e pedimos que se sinta à vontade em nosso meio, pois aqui somos uma família. Todos aqui trazemos problemas por solucionar, mas, graças a nosso Pai Grande, estamos unidos para tentar também auxiliar os outros, na medida do possível.

Após a conversa inicial, D. Niquita ficou mais calma. No entanto, pensava em quanto cobrariam para fazer o "trabalho" para seu filho. Será que teria dinheiro bastante?

Foi conduzida para o local da assistência e sentou-

-se junto à companheira Ione. Pôde observar também que a maioria das pessoas estava de branco e se ajoelhava no chão para orar. Imitou-os no procedimento. Orou. Orou com um sentimento que nunca tivera antes. Lágrimas vieram-lhe à face.

Foi despertada desse estado elevado de consciência quando Ione tocou-lhe de leve, entregando-lhe um papel com algo escrito. Levantou-se lentamente, sentou-se e abriu o papel. O que estava escrito bastou para que se desfizesse qualquer barreira que porventura ainda restasse. Leu, então, com todo o interesse de sua alma. Saciou sua sede e satisfez sua curiosidade. Desarmou-se ante o que estava escrito. Abriu seu coração para as "claridades de Aruanda", como dizem os nossos irmãos, e pôde então compreender que julgara mal aquelas pessoas e que, se estava ali precisando da ajuda delas, não tinha o direito de manter barreiras no coração. O folheto dizia simplesmente:

> *Meu filho, minha filha. Que as bênçãos do nosso Pai Maior estejam em sua vida. Saravá!*
>
> *Você está numa tenda umbandista. Talvez você não tenha vindo aqui por livre escolha. Talvez as dificuldades da vida lhe tenham indicado o caminho. Quem sabe, a curiosidade na-*

tural que invade seu coração. Mas não importa. Você está aqui. E nós, também.

Queremos esclarecer a você que neste recinto reinam a disciplina e o respeito por nossos guias e pelas leis da umbanda. Aqui se pratica a caridade e, por isso mesmo, nada se cobra pelas orações e pelos conselhos que aqui são prestados. Somos trabalhadores do Pai Maior e não temos outro objetivo que não seja servir de instrumentos para que os guias realizem seu trabalho. Não tratamos de nenhum assunto que possa prejudicar o próximo. Não fazemos despachos, oferendas ou matanças de animais. Nossa lei maior chama-se UMBANDA*, que, para nós, significa união, caridade, crescimento e integração com a lei da vida. Seja bem-vindo, vibre harmonia, bem-estar e prosperidade, e que os guias iluminem sua vida para encontrar resposta aos seus questionamentos e solução para suas dificuldades.*

Saravá os guias da umbanda!

Saravá o Pai Maior!

"Então, havia muito compromisso por parte daquelas pessoas?" – pensava D. Niquita consigo mesma. –

“Isso quer dizer que as informações que ouvi de uma e outra fonte estavam equivocadas? Meu Deus, como a gente faz ideia errada das pessoas...”.

A tenda começou a encher de gente, e logo não havia mais lugar. Começaram, então, a cantar.

Os cânticos sagrados da umbanda realmente contêm um profundo significado. Era hora da invocação dos guias e dos mentores do culto, a qual se realizava por meio dos cantos e das orações. O gongá já estava preparado, e os filhos da tenda se encontravam em seus lugares, todos de branco, enquanto as rosas e as folhas aromáticas envolviam o ambiente com seus odores balsamizantes. Os hinos sagrados começavam a vibrar no recinto:

Como cheira a umbanda!
A umbanda cheira!
Cheira cravo e cheira rosa,
Cheira flor de laranjeira...

Vibrações intensas envolviam o ambiente, e, desde o momento em que chegamos, pudemos perceber isso.

Desencarnados e encarnados vinham em busca de algo. Chegamos cedo, a meu pedido, pois desejava obter informações e fazer algumas observações, que, para mim, eram muitíssimo importantes. O caso Erasmino me inspirava dedicação e gostaria de participar de todos os lances.

Momentos atrás, quando D. Niquita penetrou o salão principal, já nos encontrávamos lá, e, deste lado da vida, as coisas se passavam de forma bastante interessante.

Fomos apresentados a uma entidade que estava postada junto à soleira da porta. O espírito parecia um soldado, que estava de prontidão para manter a ordem e a disciplina. Lá fora víramos outros, que estavam em pontos estratégicos, em torno de todo o quarteirão onde se localizava a construção física da tenda. Impunham respeito e zelavam pela disciplina do lugar. Eram perfeitos cavalheiros. Um deles, a quem fomos apresentados, atendeu-nos solícito e encaminhou-nos ao responsável espiritual pelos trabalhos da noite.

Aproximou-se de nós um espírito trajando terno azul-marinho, alto e de bigodes emoldurando a face sorridente. Chamava-se Anselmo. Vinha acompanhado de outro espírito: uma senhora de cor negra, que se vestia com os trajes típicos da época do Brasil Colônia. Sua aura nos envolvia a todos, e uma bondade profunda irradiava-se de sua presença, tornando-a respeitada por todos os outros espíritos que ali trabalhavam. Eram os responsáveis pelas atividades daquela tenda de umbanda, Anselmo e Euzália, que, sorrindo, nos cumprimentaram com um abraço fraternal.

– Meu nome é Arnaldo – falou meu companheiro. – Estamos em tarefa de socorro, e, com certeza, já foram informados pelos nossos irmãos maiores a respeito de nossa vinda.

– Claro, meu caro! – falou Anselmo. – Somos, aqui, todos aprendizes, e creio que poderão nos auxiliar muito nas tarefas que possamos desenvolver em comum. Esta é Euzália, nossa mentora, responsável por nossas atividades.

– Que é isso, Anselmo? Dessa forma você me deixa sem jeito – redarguiu a entidade, carinhosamente. – Somos trabalhadores da mesma causa e estamos aqui para fazer o melhor que pudermos para o auxílio a quantos Deus nos envia. Sintam-se em casa, meus filhos.

A partir daí, estabeleceu-se um clima de verdadeira fraternidade e amizade entre nós. Anselmo nos orientava com carinho quanto a tudo que perguntávamos, ou melhor, que eu perguntava, pois não abandonara ainda meus hábitos de espírito perguntador. Não consegui deixar na Terra a minha curiosidade, que até hoje me acompanha como marca registrada. Afinal, mesmo deste lado da vida, tem muita gente que se julga possuidora da verdade, o que é um ledo engano. Também para esses eu escrevo. Aqui temos também muita literatura, e, para alguém que se acostumou a ser repórter quando encarnado, encontrei aqui mil e uma situações às quais poderia me dedicar. E olha que tem muito espírito interessado em nossas notícias! Mas, deixando de lado essa minha mania de defunto metido a repórter do Além, vamos ao que interessa realmente.

Olhei por todo o ambiente e pude notar uma luminosidade azul com reflexos dourados envolvendo todos que entravam. Curioso, ensaiei uma pergunta para Anselmo, enquanto Arnaldo se afastava com Euzália para tratar do caso que viéramos acompanhar. Meu novo amigo não se fez de rogado e explicou-me, solícito:

– Acho que você está tão interessado nos assuntos da umbanda que não olhou bem o que acontece à sua volta. Quem dera que outros espíritos pudessem se dedicar a uma pesquisa como você está se propondo fazer e levassem para os nossos irmãos da Crosta informações corretas.

Enquanto ele falava, fui olhando o ambiente com

mais atenção. Ao lado da porta de entrada, havia dois espíritos, que estavam magnetizando todos que passavam por eles. Um assemelhava-se a um índio pele-vermelha, com uma indumentária jogada sobre o ombro, de porte altivo, sério, porém sem ser grave. Trazia um recipiente nas mãos e espargia uma mistura de ervas maceradas em todas as pessoas. Do outro lado da porta, um autêntico preto-velho; porém, nem tão velho assim. Trazia nas mãos um estranho instrumento, que Anselmo identificou como sendo um turíbulo ou incensário, movendo-o em torno das pessoas que entravam na tenda, enquanto o objeto exalava uma fumaça de cheiro adocicado, de forma que ninguém que passasse por aquela porta ficasse sem os efeitos do que lhes seria ministrado.

– Esses são companheiros que na Terra se especializaram no cultivo e na manipulação de ervas. Aqui, deste lado, além de irradiarem fluidos de sua aura pessoal, continuam com o mesmo trabalho, auxiliando quanto possam para o benefício geral – falou-me Anselmo. – Observe bem aquele companheiro que entra no salão.

Entrava um senhor de semblante grave, estatura alta, acompanhado por uma jovem, que segurava em sua mão. O preto-velho e o índio faziam o que eu chamava de ritual, envolvendo-o em suas vibrações. Aproximei-me mais para melhor observação e pude notar no senhor uma grande quantidade de energias que se mesclavam em tonalidades de cinza e verde-escuro, envolvendo-o na região do chacra frontal e do plexo solar. Trazia impregnado em seu campo áurico algo semelhante a uma lagarta, que parecia sugar-lhe as energias.

Quando a fumaça fluídica o envolveu, começaram a cair no chão algumas postas de uma massa que se assemelhava a carne crua, guardando a peculiaridade de parecerem vivas, pois mexiam-se constantemente. Quando o índio espargia sobre o senhor a água, que tinha propriedades desconhecidas para mim, ela caía sobre o parasita e o desfazia, derretendo-o, como se fosse um ácido que, derramado sobre a estranha criatura, a desmaterializasse.

Fiquei abobalhado com o que vira. Eram verdadeiramente diferentes os métodos empregados, mas, sem sombra de dúvida, eram eficazes. Anselmo socorreu-me a curiosidade novamente:

– Vê, meu amigo, como esses companheiros promovem a limpeza magnética nas auras dos irmãos encarnados? Utilizam-se de recursos que conhecem. Você não ignora que todas as coisas têm magnetismo próprio, e aqui, deste lado da vida, as estruturas astrais das plantas, com a vibração que esses espíritos conseguem canalizar da natureza, são medicamentos eficazes, que, nas mãos de quem conhece, se transformam em potentes instrumentos de auxílio, expurgando do campo magnético dos companheiros encarnados, e mesmo desencarnados, larvas e criações mentais inferiores. A natureza guarda segredos que estamos longe de compreender em sua totalidade. Aqui, nada se perde. Todo conhecimento é utilizado para o trabalho de auxílio. Toda experiência é aproveitada nas tarefas; porém, obedecemos a um critério, como verá depois.

Comecei a aprender que, em qualquer lado da vida em que nos encontremos, nossas experiências, nosso conhecimento, mesmo que sejam incompreendidos por uma multidão, poderão ser úteis no serviço ao próximo. Aquele caboclo e aquele preto-velho eram espíritos de uma sabedoria que desafiava muitos sábios da Crosta e mesmo muitos desencarnados. Em sua simplicidade e pureza de intenções, auxiliavam quanto podiam, dando sua cota de contribuição.

Segui Anselmo e observei igualmente o gongá, local onde se concentravam as atenções de todos. Era uma espécie de altar, utilizado para as rezas, que se destinavam a encarnados e desencarnados. Anselmo, desta vez, explicou sem que eu perguntasse:

– Muitas pessoas necessitam ainda de algo que funcione como muletas psicológicas a fim de desenvolverem seu potencial. Mas, aqui, o que acontece é bem diferente. O altar, os objetos de culto e todo o simbolismo que utilizamos, como os pontos riscados e cantados, as chamadas curimbas, visam compor o que chamamos de *bateria magnética*. É uma espécie de bateria psíquica que concentra as energias de que precisamos para as tarefas que realizamos. Na umbanda, lidamos com fluidos às vezes muito pesados, com magnetismo elementar, e uma grande quantidade de pessoas que aqui vêm em busca de recursos não consegue ainda compreender o verdadeiro objetivo da umbanda. Às vezes, muitos umbandistas também não lhe compreendem os mistérios sagrados. Esse altar, o *gongá*, usando terminologia própria da umbanda, é uma verdadeira concentração energética. Todos concentram aí seus pensamentos, suas orações, suas criações mentais mais sutis. Então, quando precisamos de uma cota energética maior para desenvolver certas atividades, é só recorrermos a esse depósito de energias, pois o altar é também um imenso reservatório de ectoplasma, força nervosa grandemente utilizada por nossos trabalhadores, em vista da natureza de nossas atividades. Os cânticos, além de identificarem cada espírito que se manifesta, atuam igualmente como condensadores de energia, uma espécie de mantra, já que são palavras consagradas por seu alto potencial de captação energética. É a força mágica da umbanda.

Observei o ambiente espiritual da tenda, ou terreiro. À medida que o povo cantava em ritmo próprio, parecia que imensa quantidade de energia luminosa ia se formando por cima da assistência, segundo o ponto cantado. De cores variadas, as energias iam se aglutinando na psicosfera ambiente e, depois, eram absorvidas pelas auras de quantos ali estavam, além de se agregarem em torno do gongá. O fenômeno era maravilhoso de se ver. Em meio ao redemoinho de energias, espíritos que se manifestavam na forma de crianças canalizavam esses recursos para os assistentes, que estremeciam ao receberem o choque energético. Eram os fluidos que os atingiam e desestruturavam as criações mentais inferiores, os miasmas e os demais parasitas que se encontravam nas auras dos participantes.

Não tive coragem de falar nada. Aprendia que tudo ali, naquela tenda, tinha uma finalidade específica. Anselmo, porém, continuou:

– Isso não quer dizer que todos aqui saibam o que se passa em nosso plano. Para muitos, tudo isso significa apenas uma forma de se adorar ou de se prestar culto às forças da natureza ou um elo de união com guias e mentores da umbanda, mas estamos trabalhando para que os nossos médiuns se esclareçam cada vez mais e compreendam as leis que regem as atividades deste lado da vida. Já obtivemos muitos resultados e cremos que conseguiremos, com o tempo, sensibilizar muitos, apesar das dificuldades naturais que encontramos por parte de dirigentes, médiuns e frequentadores que teimam em continuar na ignorância do que ocorre, transformando tudo em misticismo. Mas não importa! Continuamos a nossa tarefa de espiritualizar a umbanda e fazê-la mais compreendida por nossos irmãos.

Aventurei-me, então, a perguntar a respeito de algo que me chamara a atenção desde que chegara à tenda. Quem eram aqueles espíritos que pareciam guardar a entrada do local? Pareciam soldados de um exército de desencarnados.

– Aqueles são os guardiões, meu caro Ângelo, são os espíritos responsáveis pela disciplina e pela ordem no ambiente. Em muitas tendas ou terreiros, são conhecidos como exus. Para nós, são companheiros experimentados, em várias encarnações, em serviço militar, em estratégias de defesa, ou mesmo simples trabalhadores que se fazem respeitar pelo caráter forte e pelas vibrações que emitem naturalmente. Eles se encontram em tarefa de auxílio. Conhecem profundamente certas regiões do submundo astral e são temidos por sua rigidez e disciplina. Formam, por assim dizer, nossa força de defesa, pois não ignore que lidamos, em um enorme número de vezes, com entidades perversas, espíritos de baixa vibração e verdadeiros marginais do mundo astral, que só reconhecem a força das vibrações elementares, com um magnetismo vigoroso e de personalidades fortes que se impõem. Essa é a atividade dos guardiões. Sem eles, talvez, as cidades estariam à mercê de tropas de espíritos vândalos ou nossas atividades estariam seriamente comprometidas. São respeitados e trabalham à sua maneira para auxiliar quanto possam. São temidos no submundo astral, porque se especializaram, por várias e várias encarnações, na manutenção da disciplina.

– Quer dizer, então, que estes são os chamados exus? Mas, quando se fala neles, as pessoas os julgam seres infernais ou assassinos, e até mesmo certos umbandistas passam essa ideia a respeito deles.

– Existe muita desinformação e também falta de

estudo, principalmente nos meios que se dizem umbandistas. Na verdade, prolifera um número acentuado de manifestações religiosas de cunho mediúnico que utilizam o nome da umbanda para se caracterizarem perante a sociedade dos homens, mas a verdadeira umbanda é uma religião que é destituída de misticismo em seus fundamentos, o que mais tarde poderemos esclarecer a você. Aqui, no entanto, nos deteremos, para esclarecer melhor o assunto.

"Muitos do próprio culto confundem os exus com outra classe de espíritos que se manifestam à revelia em terreiros descompromissados com o bem. Na umbanda, a caridade é a lei maior, e esses espíritos, com aspectos os mais bizarros, que se manifestam em médiuns são, na verdade, de outra classe de entidades, espíritos marginalizados por seu comportamento ante a vida, verdadeiros bandos de obsessores, de vadios, que vagam sem rumo nos subplanos astrais e que são, muitas vezes, utilizados por outras inteligências, servindo a propósitos menos dignos.

"Além disso, encontram médiuns irresponsáveis que se sintonizam com seus propósitos inconfessáveis e passam a sugar as energias desses médiuns e de seus consulentes, exigindo 'trabalhos', matanças de animais e outras formas de satisfazerem sua sede de energia vital. São conhecidos como quiumbas nos pântanos do astral. São maltas de espíritos delinquentes, à semelhança daqueles homens que atualmente são considerados, na Terra, irrecuperáveis socialmente, merecendo que as hierarquias superiores tomem a decisão de expurgá-los do ambiente terrestre, quando da transformação que aguardamos para o próximo milênio.

"Os médiuns que se sintonizam com essa classe de espíritos desconhecem sua verdadeira situação. Depois, existe igualmente um misticismo exagerado em muitos terreiros que se dizem umbandistas e se especializam em maldades de todas as espécies, vinganças e pequenos 'trabalhos' que realizam em conluio com os quiumbas e que lhes comprometem as atividades e a tarefa mediúnica. São, na verdade, terreiros de *quiumbanda*,[1] e não de umbanda. Usam o

[1] Nas 14 impressões da primeira edição de *Tambores de Angola*, grafou-se equivocadamente esta palavra como *quimbanda*. O erro também pode ser verificado em dicionários. No Houaiss, o termo *quimbanda*, quando substantivo feminino, é definido como "segmentação da umbanda que utiliza especialmente exus em suas práticas, nas quais se incluem supostos malefícios endereçados a pessoas, animais etc." (DICIONÁRIO Houaiss da Língua Portuguesa. São Paulo: Objetiva, 2004). O dicionário revela du-

nome da umbanda como outros médiuns utilizam o nome de espíritas sem o serem. Há muito que se esclarecer a respeito.

"Os espíritos que chamamos de exus são, na verdade, os guardiões, os atalaias do plano astral, que são confundidos com aqueles dos quais falamos. São bondosos, disciplinados e confiáveis. Utilizam o rigor a que estão acostumados para impor respeito, mas são trabalhadores do bem. Como nós, não exigem nem aceitam 'trabalhos', despachos ou outras coisas

plo desconhecimento ao informar, logo a seguir: "A denominação é-lhe atribuída pelos adeptos da *umbanda de linha branca*". Como se sabe, tanto não há *linha branca* em umbanda, quanto a palavra *exu*, tão frequentemente distorcida, não é sinônimo de *espírito inferior* – este é o *quiumba*, como esclarecem o autor espiritual e os dicionários.

O vocábulo *quimbanda*, que se origina do idioma banto, diz respeito aos processos de magia ou antigoécia, segundo a terminologia própria dos cultos que receberam alguma influência africana. São chamados *quimbandeiros* os espíritos que detêm o conhecimento de como reverter os efeitos daninhos da magia negra e da feitiçaria – e, para tanto, necessariamente devem saber como produzi-los. Daí a confusão. Se um grupo mediúnico envolve-se, por exemplo, em anular determinada magnetização que traz consequências funestas a um indivíduo, pode-se dizer que ele está envolvido em *quimbanda*, ainda que denomine de outra forma. Espíritas, que ridículas das quais médiuns irresponsáveis, dirigentes e pais de santo ignorantes se utilizam para obter o dinheiro de muitos incautos que lhes cruzam os caminhos. Isso é trabalho de quiumbanda, de magia negra. Nada tem a ver com a umbanda."

O assunto dava para muita conversa e elucidações, mas a hora não comportava tais possibilidades, pois as atividades iriam começar. Arnaldo e Euzália aproximaram-se de nós, após as interessantes elucidações de Anselmo. Enquanto os dois mentores se dirigiam para a mesa ou altar, achegamo-nos de D. Niquita para envolvê-la com vibrações mais sutis, enquanto, segundo Arnaldo me contou, um grupo de espíri-

geralmente não têm familiaridade com esse universo, costumam preferir o termo *antigoécia* para designar tal prática. É a mesma coisa.

De qualquer forma, há que convencionar-se um termo para se referir aos processos e aos centros onde se praticam a baixa feitiçaria e a magia negra, já que esses locais não se confundem com terreiros de umbanda nem com barracões de candomblé, não obstante aqueles redutos por vezes lançarem mão, de modo ilegítimo, do nome *umbanda* para designar sua prática espúria. Por derivação do vocábulo já dicionarizado *quiumba* (espírito mal, marginal do plano astral, espírito obsessor), a alternativa natural é *quiumbanda*, opção que se adotou nesta obra, apesar do inconveniente que apresenta de assemelhar-se foneticamente à palavra *umbanda*.

tos, os guardiões, estava se dirigindo à residência de Erasmino, e outro grupo faria investigações em relação ao lugar que visitamos, o prédio onde trabalhava a falange de espíritos que estavam envolvidos com os desequilíbrios de Erasmino.

Os cânticos criavam no ambiente uma atmosfera de intensa radiação magnética, pois concentravam, na psicosfera da tenda, as energias de todos os presentes. Faíscas elétricas cruzavam o ar, ionizando a atmosfera, como se as correntes energéticas obedecessem ao ritmo dos hinos cantados. Não havia ali atabaques ou tambores, como eram utilizados em outros lugares. A um sinal do dirigente, pararam de cantar, e todos se concentraram no altar, de onde emanava luminosidade singular, parecendo uma névoa de irradiações cintilantes. Foi indicado um médium da corrente para realizar as preces iniciais, e novamente começou o cântico de evocação das entidades da casa.

Aproximou-se de cada médium determinado espírito, que o envolvia em suas vibrações peculiares. O ritmo da música foi aumentando, e pude ver como Euzália e Anselmo aproximaram-se dos médiuns com os quais deveriam trabalhar na noite.

Fiquei encantado com o que via. Euzália transformou-se aos nossos olhos de desencarnados, modificando sua aparência perispiritual de tal maneira que, se alguém possuidor de vidência a tivesse visto naquele momento, não a reconheceria. Foi-se encurvando aos poucos e assumiu a personalidade e a aparência de uma velha de mais ou menos 70 anos de idade, enquanto o seu médium igualmente assumia a mesma postura, demonstrando em seu semblante as características que o espírito assumira. Por sua vez, Anselmo foi aos poucos modificando sua aparência e, num exercício de ideoplastia, assumiu aspectos de um velho calvo, negro e de um sorriso extenso no rosto. A médium que o "recebia", como falavam na tenda, tomou a mesma postura do espírito, que se apresentava aos encarnados como Pai Damião, enquanto Euzália era agora a bondosa Vovó Catarina.

Começaram as atividades mediúnicas da noite, e cada médium dava passividade a um espírito que se manifestava entre os encarnados como preto-velho. Era a gira da umbanda.

D. Niquita foi conduzida por Ione a ajoelhar-se aos pés de Vovó Catarina, entidade que se revezava com Pai Damião na direção dos trabalhos.

O olhar bondoso da entidade transparecia através dos olhos do médium que lhe recebia a influência. Sentada em um banco pequeno, trazia um ramo de alfazema na mão, que lhe fora dado por um jovem que auxiliava, com o qual fazia seu benzimento.

D. Niquita começou a chorar, emocionada com as vibrações da entidade, as quais a envolviam. A preta-velha começou a falar naquele linguajar todo simples, que conseguia tocar os corações:

– Deus seja louvado, minha fia! Deus seja louvado! Vosmecê vem à tenda de nega-veia em busca de ajuda, mas nega-veia vê mais em seu coração. É um coração de mãe, como nega foi um dia! Vosmecê sofre pelo fio querido. Mas não há de ser nada não, minha fia. Mantenha a fé em Deus, nosso Pai Maior, e aos pouco as coisa vai miorando. Nós vamo trabalhar para o nosso Erasmino, e temos amigos seu do lado de nega-veia que veio ajudar também.

A conversa continuava num misto de consolo e de informações do plano espiritual a respeito do caso de Erasmino. D. Niquita chorava sentidamente, enquanto a assistência continuava cantando os pontos dos guias. Olhei bem o que se passava e pude ver que, enquanto a entidade conversava com a companheira encarnada, caíam dela certos resíduos fluídicos, que eram dissolvidos nas vibrações do ambiente espiritual do lugar. Vovó Catarina passava aos poucos seu ramo de alfazema em volta de D. Niquita, dando-lhe um passe, e do galho da erva desprendiam-se fios tenuíssimos de fluidos lilases, que interagiam com a aura da nossa irmã, causando-lhe imenso bem-estar. Eram os recursos da natureza aliados ao amor da entidade e à simplicidade de sua tarefa. Uma a uma, as pessoas foram se aproximando dos médiuns incorporados para o momento de conversa fraterna, enquanto, deste lado, os guardiões retornavam com informações preciosas a respeito do caso Erasmino.

Findo o culto, após as orações, os espíritos responsáveis retomaram a aparência que tinham, com extrema naturalidade. Dirigimo-nos a aposento contíguo para conversarmos. Os assistentes retornaram a seus lares, e D. Niquita, aliviada, retornou igualmente com Ione, que lhe presenteou com um livro interessante que um médium da casa lhe dera: *O Evangelho segundo o espiritismo*, de Allan Kardec.

Estávamos reunidos na sala com os mentores da tenda quando nos foi passado por um dos guardiões extenso material capturado no reduto das trevas, onde todo o caso estava sendo tramado.

Após Euzália ler o conteúdo, considerou com efetiva preocupação:

– O caso do nosso Erasmino exige muito trabalho.

Pelo que vejo, nosso irmão vem de um passado espiritual em que se comprometeu largamente com atividades menos dignas no submundo do crime, em região da Europa. As entidades envolvidas com o caso não o perdoaram, pois se sentiram lesadas com sua atitude, que julgam traidora. Contrataram um agente das sombras e exímios magnetizadores, os quais trabalham no caso, mantendo extensa base em região das sombras, a qual vocês tiveram oportunidade de visitar na companhia de Erasmino, desdobrado. Precisamos de mais ajuda, de médiuns experimentados em atividades deste lado. Temos que desativar essa base o mais urgentemente possível. Os guardiões conhecem bem o local, que já está devidamente mapeado. Quanto a Erasmino, nós o traremos aqui para as devidas orientações, e ele participará de uma atividade diferente. Fará parte apenas do grupo de estudos. Faremos a limpeza em sua aura de uma única vez; depois, veremos como proceder para conduzi-lo a uma consciência mais ampla de sua realidade espiritual.

A companheira mostrou-se conhecedora profunda de casos semelhantes e portou-se com extremo equilíbrio em sua proposta de trabalho. Entregou-nos os documentos capturados na base umbralina – ou submundo astral, como chamavam –, e pudemos perceber quanto exigiria de nós a tarefa que estávamos empreendendo.

Arnaldo teve a ideia de recorrer a dois médiuns conhecidos, que militavam numa casa espírita de orientação kardecista. Para lá nos dirigimos após falarmos com Anselmo e Euzália. Estes colocaram à nossa disposição dois guardiões, que nos acompanharam com o máximo de interesse no caso.

Euzália, por sua vez, juntamente com Anselmo, dirigiu-se ao lar de Erasmino, para desdobrá-lo e trazê-lo à tenda, onde seria realizada a limpeza magnética, conforme os trabalhos da casa.

CAPÍTULO 6

Desdobramento

DIRIGIMO-NOS PARA o lar de Francisco, um dos médiuns que iríamos recrutar para as tarefas da noite. A noite estava belíssima, e o ar balsamizante trazia fluidos da natureza, transportados pela brisa suave. Arnaldo, os guardiões e eu encontrávamo-nos em frente a uma residência modesta, de aspecto agradável, onde adentramos com o máximo respeito. Os guardiões ficaram do lado de fora, formando uma corrente de energia no local, para proteger o médium quando estivesse em desdobramento. Francisco ainda estava acordado, lendo um livro na sala, quando chegamos. Arnaldo, após aplicar-lhe um passe na região frontal, fez-se visível a ele através da vidência e comunicou-lhe o que estava acontecendo e nossa necessidade de ajuda para o caso em que estávamos envolvidos. Francisco dirigiu-se imediatamente para o quarto de dormir e, após breve prece, colocou-se à disposição para o trabalho.

Arnaldo aproximou-se de Francisco e ministrou-lhe um passe magnético no córtex cerebral e outro ao longo da coluna, promovendo o seu afastamento do veículo físico. Pude notar que, ao afastar-se do corpo, em desdobramento, no plano extrafísico, Francisco-espírito possuía a faculdade de vidência. Registrava-nos a presença com naturalidade e, com desenvoltura, apresentou-se a mim, colocando-se à disposição, como se estivesse acostumado a tais "saídas" conscientes. Era o fenômeno da viagem astral, como é conhecido nos meios espiritualistas.

– Boa noite, companheiros – falou Francisco, apresentando-se a mim. – Acredito que devamos nos dirigir imediatamente para a tarefa, não é mesmo? Mas peço-lhe, Arnaldo, por gentileza, que me dê as orientações devidas. Afinal, você não me avisou com antecedência. Preciso saber os detalhes sobre o caso e como posso ser útil.

Arnaldo deu um sorriso de satisfação e, abraçando Francisco, foi-lhe colocando a par da situação.

Saímos da residência de Francisco, onde ficou de plantão um dos guardiões, para qualquer eventualidade, pois era necessário proteger o corpo do médium de qualquer investida de espíritos infelizes. Quando saímos, pude ver o trabalho que fora realizado em volta da residência. Envolvendo a casa, uma coluna de energia, que mais parecia uma cortina de fogo, estava formando um manto protetor, que, com certeza, não poderia ser rompido por entidades levianas ou espíritos maldosos. Em frente ao portão de entrada, mais duas entidades, que não avistara antes, estavam de guarda, auxiliando um dos guardiões que viera conosco.

Estranhei todo aquele aparato, e, antes que perguntasse a Arnaldo, ele foi logo falando:

– Em tarefas dessa natureza, principalmente quando o medianeiro estiver em desdobramento, é natural que protejamos seu veículo físico com os cuidados necessários, pois qualquer dano causado a seu corpo irá repercutir no perispírito, e, se a tarefa for realizada em regiões mais inferiores, é de se esperar qualquer tentativa de entidades sombrias para impedir sua realização. Igualmente, o médium desdobrado deverá contar com a assistência de uma equipe consciente e responsável deste lado de cá da vida. Afinal, estamos no trabalho do bem e devemos nos preservar de possíveis interferências nas atividades.

Aproveitando o momento criado pelas elucidações de Arnaldo, desejei saber a respeito do desdobramento, ou viagem astral, e sobre como Francisco tinha consciência do que se passava deste lado.

– Será que todos os médiuns que se desdobram têm consciência disso?

Sorrindo, Arnaldo falou:

– Podemos afirmar que nem todos se igualam no que concerne à manifestação do fenômeno mediúnico. A consciência deste lado de cá não é possibilidade de todos. Como Allan Kardec afirmou, a mediunidade é orgânica.[1] Podemos entender isso da seguinte forma: quando o espírito reencarna com determinada tarefa a desempenhar com relação à mediunidade, seu perispírito passa a ser submetido a uma natural elevação da frequência vibratória, e, por conseguinte, o próprio corpo físico, que reflete as vibrações perispirituais, também é elaborado com vista às tarefas que desempenhará no futuro no que se refere à mediunidade com Jesus. Dessa forma, podemos entender que aquele que é preparado para trabalhar tendo inconsciência do fenômeno dificilmente poderá modificar essas disposições, pois seu organismo foi ajustado para tanto. Igualmente, aquele que foi preparado vibratoriamente para ter a consciência deste

[1] Cf. KARDEC, Allan. *O livro dos médiuns ou guia dos médiuns e evocadores.* Rio de Janeiro: FEB, 2011. p. 318, item 209.

lado da vida, quando desdobrado, haverá de manifestar essa consciência no momento propício, quando seus mentores julgarem necessário, pois traz impressas em seu perispírito as vibrações necessárias que o habilitarão à consciência nas regiões espirituais. Mas isso tudo ainda é relativo, pois o homem atual ainda se conserva despreparado para certas tarefas, e, muitas vezes, estar consciente poderá dar ensejo a dificuldades maiores, devido à falta de preparo de muitos que se candidatam ao serviço.

"No caso de Francisco, é um velho conhecido nosso de tarefas semelhantes; procura estudar sempre e conserva-se ocupado em tarefas nobres e elevadas. Isso facilita-nos o trabalho, mas não quer dizer que, quando ele retornar ao corpo denso, irá lembrar-se de tudo, não! Não há necessidade disso. É bastante que desempenhe as suas tarefas com amor e dedicação.

"A maioria das pessoas hoje em dia aguarda obter experiências com viagens astrais para se convencerem de que a vida continua além da matéria. Esperam, com isso, poder fazer viagens mirabolantes a mundos diferentes, criando uma expectativa de algo que possivelmente nunca se concretizará. Querem fazer viagens fora do corpo, mas isso acontece em todas as noites quando dormem, e, mesmo que pudessem realizar tal feito conscientemente, de que adiantaria? Ainda não aprenderam a realizar a viagem para dentro de si mesmas, para se conhecerem; ou seja, a viagem do autodescobrimento, como é da proposta do espiritismo. Precisam aprender a fazer a viagem da vida, de suas vidas, com dignidade e equilíbrio; do contrário, continuarão perdidas sem se conhecerem e sem conhecerem as leis da vida. Há muita conversa em torno disso, e o bom mesmo seria que quem quisesse conhecer mais sobre o assunto se reportasse aos escritos de Allan Kardec. O que hoje se imagina mais atualizado a respeito dessas e de outras coisas referentes às questões do espírito não passa de adaptação do que dizem os escritos de Kardec. Apenas trocaram os nomes para dar sabor de novidade. O problema humano segue sendo sempre o mesmo."

– Mas como trocaram o nome? – aventurei-me.

– Basta observar, Ângelo. Ao fenômeno mediúnico tão conhecido e explicado pela doutrina espírita, os autores modernos, apenas para se dizerem diferentes, deram o nome de *channeling* e, aos médiuns, denominaram *canais*. Aos espíritos deram o nome de *consciências extrafísicas*; o termo *encarnado* foi substituído, em alguns casos, por *intrafísico*. O fenômeno de desdobramento, tão conhecido desde épocas remotas e classificado por Allan Kardec como *sonambulismo*, hoje recebe vários apelidos, como *projeção da consciência*, *bilocação da consciência*, *viagem astral* e outros nomes que o homem não cansa de criar, tentando dar a ideia de que são coisas diferentes, pois o seu orgulho não o deixa admitir que a universalidade do fenômeno e seus desdobramentos no psiquismo humano, desde há muito, foram catalogados pela doutrina espírita e se encontram atualíssimos em *O livro dos médiuns*, que constitui o mais moderno tratado de ciências psíquicas da humanidade. Mudam apenas os nomes, mas o fenômeno continua sendo o mesmo.

Entendi o exposto e fiquei imaginando como o homem complica as coisas, de tal modo que passa a ser vítima de si mesmo, emaranhando-se em conceitos tão confusos que ele mesmo não sabe como sair deles.

A conversa estava mesmo interessante, mas a nossa equipe, acrescida da presença de Francisco, dirigia-se ao lar de Otávio, outro médium que Arnaldo conhecia e que poderia ser-nos útil na tarefa. O procedimento se realizou da mesma maneira, com a formação de um campo de força em torno da residência do companheiro encarnado, enquanto outro guardião se colocava de prontidão para a proteção do corpo físico de Otávio, que, desdobrado, vinha para o nosso lado auxiliar nas tarefas da noite.

Dirigimo-nos todos para a tenda, onde nos aguardavam os amigos espirituais Euzália e Anselmo, com o espírito de Erasmino desdobrado pelo sono físico.

CAPÍTULO 7

Os guardiões e os caboclos

Erasmino fora trazido para a tenda de umbanda pela ação de Euzália, que, auxiliada também por uma equipe de guardiões que ficaram em sua residência, pôde trazê-lo até nós para as atividades que se realizariam. Anselmo modificou sua aparência perispiritual e manifestou-se à vidência de um dos médiuns da casa, convidando-o ao trabalho como o preto-velho Pai Damião, tão querido por todos dali. A equipe estava formada para a primeira parte do trabalho espiritual.

Erasmino foi colocado deitado em frente ao altar, numa maca estruturada com fluidos do nosso plano. Caboclos e pretos-velhos adentravam o ambiente sob a orientação de Euzália, a Vovó Catarina da tenda, que, bondosamente, ia indicando o que fazer. Envolvendo o médium desdobrado, Anselmo, ou Pai Damião, procedeu ao fenômeno de incorporação no plano espiritual, quando o perispírito do médium foi-se ajustando vibratoriamente ao do espírito que o orientava. O fenômeno era maravilhoso de se observar. A aparência externa do médium foi aos poucos se modificando, até assumir a mesma conformação de Damião, o velho africano que agora assumia as tarefas.

Erasmino, sonolento, não registrava a nossa presença, apenas ficava passivo ante os acontecimentos. O espírito de um índio aproximou-se trazendo uma vasilha que continha uma espécie de remédio, que deu a Erasmino para beber. Imediatamente, ele vomitou algo visguento e malcheiroso, que Euzália disse tratar-se de resíduos colocados pelas entidades das trevas em seu perispírito, a fim de provocarem doenças físicas que o distraíssem do verdadeiro problema.

Os guardiões, ou exus, foram chamados para realizar outra tarefa. Acompanhando Francisco e Otávio, iriam conosco até o reduto das trevas para desativar a base de operações deles. Necessitavam de médiuns encarnados, embora desdobrados, por possuírem ectoplasma, energia necessária para a desativação das bases das sombras.

Deixamos Erasmino desdobrado aos cuidados de Euzália e sua equipe e fomos para a região astralina onde se localizava a base de operações das trevas.

Assim que chegamos, pudemos notar intensa movimentação nos arredores. Francisco e Otávio estavam tranquilos e muito seguros na realização da tarefa. Pensei que os habitantes daquela construção estavam sabendo da nossa visita e que haviam se precavido contra nós. Novamente Arnaldo esclareceu a todos:

– A movimentação que presenciam é resultado dos trabalhos dos guardiões, que recrutaram seus amigos para auxiliarem na tarefa. Embora todo o movimento, como veem, comportam-se com a máxima disciplina e executam com rigor sua tarefa.

Observei mais e vi uma grande quantidade de espíritos que se aproximavam furtivamente do prédio. Pareciam comandados por uma equipe que se colocava à frente, trazendo algo semelhante a um mapa, ora olhando para o prédio à frente, ora para o papel que tinham na mão. Longas fileiras de espíritos se colocavam em volta do edifício das trevas, em movimentos precisos, estudados e com o máximo de silêncio. Vestiam-se como soldados e traziam nas mãos uma espécie de tridente. Segundo fui informado, eram armas elétricas, que descarregariam energia e dariam choques nos outros espíritos que haveriam de ser capturados. Funcionavam com eletromagnetismo. Eram as mais eficazes contra as investidas das sombras. Tudo parecia uma operação de guerra.

Um dos guardiões aproximou-se de nós trazendo nas mãos dois instrumentos pequenos, que foram entregues a Francisco e Otávio. Eram duas “bombas mentais”, conforme esclareceram. Foram ajustadas na frequência vibratória dos dois médiuns e, assim que eles retornassem ao corpo físico, iriam explodir e desativar a base das sombras. Os médiuns não correriam nenhum risco, pois nós os acompanharíamos nas tarefas, e eles seriam escoltados de volta ao corpo físico com segurança.

Por sua vez, os espíritos não sofreriam nenhum mal. Afinal, eram espíritos, e o efeito das bombas mentais seria um choque vibratório tão profundo que queimaria as criações fluídicas do edifício, destruindo a base e desestruturando mentalmente seus habitantes por algumas horas, tempo suficiente para que os guardiões os recolhessem com suas redes magnéticas e os conduzissem para aos devidos lugares. Toda a operação fora preparada com esmero e nos mínimos detalhes.

Ao longe, pude ver ser levantada uma espécie de rede que envolvia todo o prédio. O guardião prontamente esclareceu:

– Trata-se de uma medida de emergência. Não estamos lidando com espíritos comuns. São conhecedores de várias técnicas e têm, em suas fileiras, muitos que na Crosta foram cientistas, generais ou comandantes de tropas de guerra. A rede é para dar mais segurança a todos, principalmente aos médiuns. Caso alguns desses espíritos escapem com consciência do que está acontecendo, serão prisioneiros da rede, que os manterá vibratoriamente desarmados, sugando-lhes as energias. Mas, se forem ajudados por fora, aqueles que se aproximarem das redes ficarão aí grudados, como a mosca no mata-borrão, e só se libertarão quando nós desligarmos as baterias. Esses espíritos são altamente perigosos; convém não arriscarmos.

Fiquei extasiado ante a organização dos guardiões e vi quanto eram úteis em qualquer trabalho que se realizasse nas regiões inferiores. Eram profundos conhecedores daqueles sítios e de seus habitantes. Isso justificava o hino que havíamos ouvido na tenda a respeito deles, que dizia mais ou menos o seguinte:

Sete, sete, sete!
Ele é das sete encruzilhadas.
Numa banda sem exu,
Não se pode fazer nada.

São eles os verdadeiros exus da umbanda, conhecidos como guardiões, nos subplanos astrais, ou umbral.

Verdadeiros defensores da ordem, da disciplina, formam a polícia do mundo astral, são os responsáveis pela manutenção da segurança, evitando que outros espíritos descompromissados com o bem instalem a desordem, o caos, o mal. Têm experiência nessa área e se colocam a serviço do bem, mas são incompreendidos em sua missão e confundidos com demônios e com os quiumbas, os marginais do mundo astral.

Além, avistava-se a falange de espíritos de africanos, antigos escravos, que se juntavam aos outros espíritos e traziam, cada um, um atabaque, espécie de tambor que costumavam utilizar quando estavam nas senzalas, para acompanhar os ritmos de seus cânticos sagrados. Esses espíritos formavam uma verdadeira legião. Com os corpos perispirituais seminus, formavam a segunda coluna de entidades que vinham para auxiliar nas tarefas. Aguardavam as ordens para entrar em ação.

Após os preparativos, fomos com Francisco e Otávio para o interior do prédio. Mas, se nós, os desencarnados de nosso plano, éramos invisíveis àqueles outros espíritos que se conservavam vibratoriamente distantes dos ideais superiores, os médiuns desdobrados tinham que vestir um traje especial, que se assemelhava a um escafandro, para evitar serem descobertos por algum recurso que os cientistas do mal houvessem desenvolvido.

Entramos no prédio conduzindo os dois médiuns. Arnaldo levou Francisco até certo lugar no andar térreo, enquanto eu levava Otávio para o último andar, tomando o cuidado de deixá-los à vontade para ajustarem às vibrações pessoais os instrumentos que os guardiões lhes haviam dado. Após realizado o feito, deveriam permanecer por três minutos próximo ao local, em profunda concentração, pois, fixado em cada bomba mental, havia um dispositivo que acumulava certa quantidade de ectoplasma dos médiuns, algo necessário para o disparo dos elementos radioativos que iriam abalar as estruturas das trevas. Estávamos confiantes e orando intimamente.

Quem imagina que o trabalho dos espíritos é uma ação puramente mental, sem nenhum esforço, engana-se grandemente. Aqui, deste lado, aprendi que temos recursos que desafiam as melhores criações e invenções humanas e que são colocados a serviço da ordem, do bem e do equilíbrio geral. Temos possibilidades que podem ser aperfeiçoadas ao máximo. Por outro lado, aquele que se desvia do caminho elevado, optando por formas equivocadas de viver, deste lado da vida encontrará mentes que se afinam com ele, em processos infelizes de existência extrafísica, até que a lei divina de causa e efeito o faça retornar, pelo sofrimento, ao caminho da razão. Tudo depende dos objetivos que venhamos estabelecer para nós. As possibilidades são infinitas, e, diante do trabalho a realizar, não há lugar para separatismos, preconceitos descabidos ou pretensões de superioridade, pois, neste trabalho que desenvolvemos deste lado, a serviço do eterno bem, a única bandeira que conhecemos é a da caridade, da fraternidade, da causa do Senhor da vida, seja ele chamado de Oxalá ou de Jesus.

Após os preparativos realizados sob a supervisão dos guardiões e de Arnaldo, retiramo-nos do prédio e encontramo-nos com os trabalhadores que estavam sob a orientação de um dos guardiões. Depois de nos certificarmos de que tudo estava ocorrendo de acordo com os planos, fomos informados de que deveríamos esperar, pois a própria Euzália estaria presente na hora de realizar a desativação da base sombria.

A cena que se passou ante a nossa visão espiritual era verdadeiramente digna de registro para os nossos irmãos encarnados. Euzália vinha em nossa direção envolvida em suave luz, que a distinguia dos outros espíritos. Falou-nos brevemente que estava se aproximando do prédio o espírito responsável pela desdita de Erasmino e que deveríamos esperar mais um pouco, pois ela gostaria que ele fosse capturado e conduzido para uma casa espírita, onde poderia passar pela terapia espiritual que normalmente é chamada de desobsessão, enquanto ela e seus trabalhadores ficariam responsáveis pela falange de espíritos mais perigosos, encaminhando-os, no devido tempo, para o tratamento adequado, numa casa espírita ou numa tenda umbandista.

Aproximou-se o espírito que esperávamos. Era um senhor de certa idade, que expressava na fisionomia o rancor e o ódio, de tal forma que sua aura se apresentava em cores negra e cinza, com matizes de vermelho-vivo. Adentrou o prédio sem, contudo, perceber-nos a presença, pois só tinha diante de si a vingança e o ódio, que o tornavam cego para qualquer outra coisa.

A um sinal de Euzália, os dois médiuns, Francisco e Otávio, foram reconduzidos ao corpo físico por dois guardiões e por Arnaldo, enquanto eu fiquei observando e anotando as cenas que se passavam neste plano da vida.

Novamente Euzália deu um sinal, levantando uma das mãos, e, contornando a multidão de guardiões, vieram de todos os lados as falanges de caboclos, índios e outros espíritos que trabalhavam sob a orientação dela, tomando conta daquela paisagem espiritual como se fosse um acampamento de guerra, preparados para qualquer eventualidade.

Os atabaques soaram todos a uma só vez, e o resultado foi que um tremor cada vez mais intenso abalava toda a região, como se um terremoto de grandes proporções tivesse ali o seu epicentro. Os espíritos de antigos escravos faziam sua parte; com cânticos pronunciados com cadência e numa linguagem desconhecida para mim, começaram o trabalho de desarticulação da base das sombras.

A visão era maravilhosa: cada um dos espíritos, os caboclos da tenda, estava envolvido em luzes de matizes variados, como reflexos de um arco-íris, iluminando as cercanias daquela paisagem umbralina, que, naquele momento, mostrava-se como palco de uma atividade de grandes consequências para todos nós. Fiquei emocionado com a visão dos caboclos.

Euzália baixou a mão no exato momento em que os médiuns assumiam seus corpos físicos e ativavam com suas vibrações as bombas mentais, que começaram a fazer efeito. Foi tudo muito rápido e organizado.

Primeiramente, começou uma espécie de fogo ou energia radiante, que consumia a construção de baixo para cima e de cima para baixo, desfazendo a estrutura imponente e provocando o desmoronamento da construção fluídica. Parecia uma fornalha atômica em expansão. Depois, pudemos observar descargas magnéticas e elétricas que saíam do interior do prédio em destruição, e toda a paisagem em volta do que restava da construção das sombras era literalmente queimada pela ação eficaz das descargas de energias. Acima do edifício, viam-se formas-pensamento esvoaçando e sendo queimadas pelo fogo etérico, que a tudo devorava e desfazia, promovendo o saneamento da atmosfera psíquica ambiente.

Eram tão fortes os efeitos magnéticos que, no plano físico, os encarnados puderam ver uma imensa tempestade que se abatia sobre a região da cidade onde, em correspondência, estava localizado o reduto das trevas. Raios e trovões descarregavam-se nas atmosferas física e espiritual daquele lugar, enquanto chuva torrencial descia das nuvens sobre a região física correspondente à vibração do local. O rio que cruzava a capital estava ameaçando ultrapassar suas margens com a tempestade imprevista; mas não somente as águas das chuvas como também os fluidos deletérios acumulados pelas mentes invigilantes dos homens na psicosfera da cidade estavam sendo despejados naquelas águas revoltas e lamacentas do rio, para serem absorvidos depois pelo solo abençoado do planeta, onde seriam destruídas as criações mentais inferiores.

Grande quantidade de espíritos saía correndo dos escombros da construção no desespero que os invadia. Seres apavorados tentavam escapar, enquanto os guardiões apertavam o cerco com suas lanças e tridentes de energia, contendo qualquer tentativa de fuga.

Os outros espíritos, que se apresentavam como caboclos, vinham velozes do alto, como que cavalgando sobre nuvens fluídicas, impondo respeito e pavor àqueles que não esperavam uma ação conjunta que destruísse suas atividades. Era de uma beleza indescritível a cena geral. Ao comando de Euzália, a Vovó Catarina da tenda de umbanda, as redes foram ativadas, enquanto a falange das trevas saía em debandada e desfalecia ante a visão aterradora de guardiões e caboclos, que lançavam suas flechas de energia e seus dardos magnéticos, desarmando a legião das trevas.

Nunca havia vivenciado tão grandes ações deste lado da vida desde que aqui cheguei. A natureza parecia estar satisfeita com o saneamento do ambiente astral, e, do lado dos encarnados, as pessoas corriam para todos os lados para se proteger da tempestade que se abateu sobre a cidade de São Paulo, parecendo querer destruir tudo e todos. Era o resultado das descargas energéticas que foram acionadas para o saneamento da atmosfera local. Essas descargas desencadearam forças da natureza, que nos auxiliaram na derrocada dos poderes das trevas. Os acontecimentos deixaram como lição que qualquer expressão de poder que não esteja alicerçada no bem, na caridade e na fraternidade legítima é meramente obra transitória na paisagem do mundo, podendo a qualquer hora ser desfeita para ser substituída por expressões mais equilibradas e de acordo com as leis da Vida Maior.

Todos os espíritos que participaram daquela empreitada estavam sob a orientação de Euzália. Eram espíritos cujas experiências foram colocadas a serviço de uma causa nobre e elevada e que conservam sua própria maneira de agir, seus métodos, que, embora não estejam de acordo com o que pensam muitos, são de eficácia comprovada. Após terem reunido os representantes das trevas num determinado local, todos se ajoelharam para orar e agradecer ao Pai Grande, à Suprema Consciência Universal, Deus.

CAPÍTULO 8

A origem da umbanda

Muitos espíritos foram aprisionados em campos de contenção magnética e conduzidos para lugar específico, onde seriam esclarecidos quanto a certas leis do mundo espiritual, suas responsabilidades e deveres ante a própria vida. Aqueles que estavam ligados ao caso de Erasmino foram levados para a tenda, onde aguardavam Euzália e sua equipe, que conversariam com eles. Euzália, por sua vez, nos pediu, humilde:

– Meus filhos, vocês sabem que estas ações mais ou menos pesadas que são realizadas nos subplanos astrais são uma especialidade desses espíritos que conosco militam nas falanges abençoadas da umbanda. Muitas vezes, realizamos ação conjunta com os mentores e os orientadores de outras linhas de atividades, como a dos nossos irmãos espíritas. No entanto, temos dificuldades quanto a muitos centros espíritas, que ainda guardam reservas quanto aos nossos trabalhadores que se manifestam como caboclos ou pretos-velhos. Assim sendo, gostaríamos de rogar aos companheiros que nos auxiliem conduzindo alguns espíritos para as reuniões de tratamento desobsessivo nas mesas espiritistas, pois, se forem conduzidos aos nossos núcleos umbandistas, encontraremos dificuldades para seu esclarecimento. Ainda guardam preconceitos em relação aos nossos rituais e aos nossos métodos de trabalho, pelo que não os condenamos. Mas, em virtude disso, requerem outras formas de despertamento de suas consciências, e acredito que, para isso, a doutrina espírita tem recursos imensos. Enquanto vocês os conduzem para a terapia espírita, nós iremos tomar conta dos espíritos que se fazem acessíveis às nossas atividades espirituais e dos que necessitam de métodos mais drásticos de aprendizado para seu despertamento. Neste caso, segundo acreditamos em nossa tenda, a umbanda é especializada, pois muitos encarnados e desencarnados não conseguem acordar para a realidade espiritual apenas com o esclarecimento ou o diálogo, tal como ocorre em muitas casas espíritas. Acredito que podemos trabalhar em conjunto, visando ao mesmo objetivo, que é a elevação moral de nossas almas.

– Com certeza, minha irmã – falou Arnaldo. – Faremos o possível para conduzir essas almas equivocadas ao caminho do bem. No entanto, se nos permitir, gostaríamos de permanecer aqui, por enquanto, a fim de aprender um pouco mais com os companheiros espirituais.

– Ah! Meu filho! Se o próprio Senhor nosso não faz distinção entre as pessoas, mas abraça-nos com seu amor incondicional, como posso eu, uma simples servidora, impedir que trabalhem na vinha do único Mestre de todos nós? Permaneçam à vontade, meus filhos. Somos todos da mesma família espiritual. Estamos aprendendo sempre.

Ante a conversa com Euzália, ou Vovó Catarina, fiquei a pensar na elevação daquele espírito, que assumia a condição de uma humilde preta-velha para desempenhar sua tarefa de amor em benefício do próximo. Quantos não encontraram em suas palavras o lenitivo para suas dores, o consolo para suas aflições? Quantos não a julgaram ignorante pela sua aparência singela? Quantos não entenderam sua sabedoria e a de seus trabalhadores? Quantos não se decepcionariam ante sua autoridade espiritual?

Desejaria conhecê-la melhor, sua vida de abnegação e sacrifício, mas a tarefa que tínhamos pela frente não permitiria que me detivesse, no momento, para esclarecer essas questões.

Erasmino foi reconduzido ao corpo físico e, segundo Anselmo, já estava livre das redes que haviam colocado em seu cérebro perispiritual. Apenas mantinha algumas ligações fluídicas com seu verdugo espiritual, as quais seriam em breve liberadas, quando ele viesse à tenda de umbanda. A equipe de magnetizadores e psicólogos das trevas seria conduzida a um agrupamento espírita onde se submeteria à terapia espiritista; outras entidades envolvidas no caso estavam sob os cuidados de guardiões e caboclos, que, com certeza, tinham condições de orientá-las.

Pensativo, dirigi-me a um canto da tenda para orar e meditar um pouco sobre o quanto estava aprendendo. Pensava muito no trabalho muitas vezes incompreendido da umbanda, principalmente no Brasil, quando fui abordado por Anselmo, que veio esclarecer-me:

– Pois é, meu companheiro! Muitos ignoram certas verdades e nos julgam apressadamente, sem nos conhecerem os ideais. A umbanda atualmente enfrenta muitas dificuldades, principalmente em relação à ignorância de muitos pais de santo e ditos chefes de terreiro que manipulam os adeptos de forma menos digna. Enganam as multidões e a si mesmos, julgando que estão praticando umbanda, quando, na realidade, são instrumentos de espíritos que, às vezes, não têm o mínimo conhecimento de questões espirituais. Mas a umbanda permanece como expressão da lei maior em benefício dos aflitos, dos cansados e dos oprimidos, dos dois lados da vida.

– Mas poderia me esclarecer qual é a verdadeira natureza e qual é a origem da umbanda? Às vezes se é mal-informado a respeito, e confunde-se muito umbanda com espiritismo. A ignorância a respeito é generalizada.

– Pois bem, Ângelo, tentarei trazer um pouco de luz sobre o assunto, embora não pretenda esgotá-lo.

"Desde que os negros foram tirados de sua terra, na África, vieram para o Brasil com o rancor e o ódio em seus corações, pois muitos foram enganados pelo homem branco e feitos prisioneiros e escravos, feridos em sua dignidade, distantes da pátria e dos que amavam. Foram transcorrendo os anos de lutas e dores, e o negro mantinha, em seus costumes e na religião, a invocação das forças da natureza, as quais chamavam de orixás, espécie de deuses a quem cultuavam com todo o fervor de suas vidas. Aprenderam com o tempo a se vingar de seus senhores e déspotas, através de pactos com entidades perversas e com a magia negra, que outra coisa não era senão as energias magnéticas empregadas de forma equivocada. Dessa maneira, o culto inicial aos orixás foi se transformando em métodos de vingança, em pactos com entidades trevosas, que assumiam o papel dessas forças da natureza, ou orixás, disseminando o que se chamava de candomblé, que, na época, era um disfarce para uma série de atividades menos dignas no campo da magia.

"Com o tempo, foi-se formando uma atmosfera psíquica indesejável no campo áurico do Brasil, que havia sido destinado a ser a pátria do Evangelho redivivo, onde estava sendo transplantada a árvore abençoada do cristianismo pelas bases eternas do espiritismo. A psicosfera criada no ambiente espiritual da nação foi de tal maneira violenta que entidades ligadas aos lugares de sofrimento nas senzalas encarnavam e desencarnavam conservando o ódio nos corações, com exceção daquelas que entendiam o aspecto espiritual da vida. Assim, a magia negra foi se espalhando em forma de culto pelas terras brasileiras. De norte a sul do país, as oferendas, os despachos, ou ebós, eram oferecidos pelos pais de santo, pelos mestres do catimbó ou de outros cultos que proliferavam a cada dia, criando uma crosta mental sobre os céus da nação.

"Nos planos etéreos da vida, reuniram-se então entidades de alta hierarquia com o objetivo de encontrar uma solução para desfazer a egrégora negativa que se formava na psicosfera do Brasil. A magia negra deveria ser combatida, e seus efeitos destrutivos haveriam de ser desmanchados, de maneira a transformar os próprios centros de atividades dos cultos degradantes em lugares que irradiassem o amor e a caridade, única forma de se modificar o panorama sombrio. Havia necessidade de que espíritos esclarecidos se manifestassem para realizar tal cometimento. E, assim, foram se apresentando, uma a uma, aquelas entidades iluminadas que haveriam de modificar suas formas perispirituais, assumindo a conformação de pretos-velhos e caboclos, e levariam a mensagem de caridade através da umbanda, cujo objetivo inicial seria o de desfazer a carga negativa que se abatia sobre os corações dos homens no Brasil. A umbanda seria o elo com o Alto; penetraria aos poucos nos redutos de magia negra ou nos terreiros de candomblé, os quais ainda se mantinham enganados quanto às leis de amor e caridade, e iria transformando, com as palavras de um preto-velho ou as advertências do caboclo, os sentimentos das pessoas. E, para isso, meu amigo, era necessário que elevados companheiros da Vida Maior renunciassem a certos métodos de trabalho considerados mais elevados e se dedicassem às atividades a que a umbanda se propunha. A esses companheiros de elevada hierarquia espiritual, juntaram-se espíritos de antigos escravos e índios, que serviram por muito tempo nas fazendas e nos arraiais da Terra do Cruzeiro e, em sua simplicidade e boa vontade, propuseram-se a trabalhar para demonstrar ao homem branco e civilizado as lições sagradas da umbanda. Manifestavam-se aqui e acolá, ensinando suas rezas, mandingas e beberagens, auxiliando a curar doenças e dando lições de amor e humildade.

"Na verdade, a umbanda tem conseguido seu intento, e, aos poucos, vão sumindo dos corações dos oprimidos o desejo de vingança, o ódio e o rancor. Os cultos afros, em sua essência, vão se transformando, auxiliando o progresso daqueles que sintonizam com tais expressões de religiosidade. A umbanda está modificando o aspecto desses cultos de origem africana e transformando-os, gradativamente, numa religião mais espiritualizada.

"Na palavra de um caboclo ou de um preto-velho, a lei de causa e efeito é ensinada por meio de Xangô, que simboliza a justiça; a reencarnação torna-se mais compreensível às pessoas mais simples quando o preto-velho fala de sua outra vida como escravo e da oportunidade de voltar à Terra em novo corpo para ajudar seus filhos. A força das matas, das ervas, é ensinada na fala de Oxóssi; o amor é personificado em Oxum; e a força de transformação, a energia de vitalidade, é apresentada nas palavras de Ogum.

“Mas há muito ainda que se fazer, muito trabalho a realizar. Nossa explicação não esgota o assunto, mostra apenas um aspecto da umbanda, que guarda suas raízes em épocas muito distantes no tempo. Agora, não temos muito tempo para falar sobre isso.”

Curioso como sou, não deixaria passar a oportunidade e não me fiz de rogado, perguntando mais a Anselmo, que me respondia com boa vontade.

– E quanto a esses pais de santo e centros de umbanda que se espalham pelo país, será que estão conscientes disso tudo?

– Não podemos esperar a mesma compreensão por parte de todos, meu filho – respondeu-me. – Existe muita ignorância no meio, e os próprios responsáveis pelos terreiros e pelas tendas umbandistas concorrem para que o povo tenha uma ideia errada da umbanda. Em seus fundamentos, a umbanda nada tem a ver com o espiritismo, o que não é bem-esclarecido nos meios umbandistas. Começa aí a confusão. Tomou-se emprestado o nome "espírita", como se ele designasse todas as expressões de mediunismo, e descaracterizou-se muito a umbanda. Por outro lado, espíritos têm baixado ao mundo com a missão de esclarecer e, de certa forma, dar um corpo doutrinário à umbanda, escrevendo livros sérios a respeito do assunto, os quais são ignorados por muitos adeptos. Aos poucos, a verdade irá se espalhando, e – quem sabe? –, num futuro próximo, haveremos de ver abolidos os sacrifícios de animais, as oferendas e uma série de outras coisas que nada têm a ver com a umbanda, mas com outras expressões de culto de origem afro, as quais são respeitáveis, mas diferem em seus objetivos da verdadeira umbanda.

"Pais e mães de santo que vivem enganando as pessoas, ciganas e ledoras de sorte que cobram por seus 'trabalhos' não têm nenhuma relação com os objetivos elevados que os mentores da umbanda programaram. São pessoas ignorantes das verdades eternas e responderão a seu tempo por suas ações inescrupulosas.

"A caridade é lei universal, e nós, que trabalhamos nas searas umbandistas, devemos ter nela o guia infalível de nossas atividades. Assim como nem todos os centros espíritas que dizem adotar a codificação de Allan Kardec são, na realidade, espíritas, também muitas tendas e terreiros não representam os conceitos sagrados da umbanda. Acredito que Allan Kardec permanece ainda grandemente desconhecido entre aqueles que se dizem adeptos da doutrina espírita, como também você poderá notar que muitos umbandistas permanecem ignorantes das verdades e dos fundamentos de sua religião. Temos que trabalhar unidos pelo bem e esperar; o tempo haverá de corrigir todos os equívocos de nossas almas, através das experiências que vivenciarmos."

– Mas você acha, meu caro Anselmo, que é possível o trabalho conjunto entre os espíritos espíritas e os umbandistas?

– Perfeitamente, Ângelo. A presença de vocês aqui é uma prova disso. Da mesma forma, temos muitos dos nossos trabalhando nos centros kardecistas, auxiliando aqui e ali, nos trabalhos de cura e desobsessão. O fato de nós trabalharmos em conjunto não nos faz robôs; não pensamos de maneira idêntica. Guardamos a nossa opção íntima. Afinal – disse ele, sorrindo –, nisto está a verdadeira fraternidade: que nos amemos uns aos outros e respeitemos as convicções pessoais, pois, se os métodos de trabalho se multiplicam ao infinito, o Senhor da vinha permanece sendo um só, Jesus ou Oxalá.

Abraçou-me o companheiro espiritual, e saímos alegres para a tarefa que nos aguardava.

CAPÍTULO 9

Apontamentos

Aproveitando o tempo que se fizera mais propício, alarguei minha habitual curiosidade e propus ao companheiro espiritual que me orientasse em certas questões, a fim de que eu pudesse mais tarde transmitir esses conhecimentos aos encarnados. Ele não se fez de rogado; então comecei meu interrogatório:

– Quanto aos banhos de ervas e às defumações utilizados pelos umbandistas, haverá algum fundamento científico nisso tudo?

– Fundamento há, meu amigo Ângelo, embora nem sempre as pessoas que se beneficiam desses recursos o saibam. Tomemos como exemplo os chamados *banhos de descarrego*, tão receitados por pretos-velhos e caboclos. Você sabe muito bem do poder das ervas, de seu magnetismo próprio. Quando são utilizadas adequadamente, podem operar verdadeiros prodígios, gerando equilíbrio e harmonia. As plantas guardam, nesse estado de evolução, muita energia, muita vitalidade, e os raios absorvidos do Sol no processo de fotossíntese formam uma aura particular em cada família do reino vegetal, os quais se associam à própria química da planta. Quando colocadas em infusão, transmitem à água todo o seu potencial energizante, curador, reconstituinte. É o que se passa com os florais usados atualmente. Quando o adepto toma o banho com a mistura de ervas, todo o magnetismo que está ali associado provoca, em alguns casos, um choque energético ou uma reconstituição das camadas mais externas de sua aura. Na verdade, isso não tem nenhuma relação com o misticismo; é científico. Sob a influência abençoada das ervas, muitos benefícios têm sido alcançados por inúmeras pessoas.

"Irmãos nossos de outras confissões religiosas, mesmo os espíritas, julgam que tais providências são um absurdo e recusam qualquer receituário que venha com tais indicações. Estão até indo contra os métodos empregados pelo mestre Allan Kardec, pois se recusam a pesquisar, questionar, certificar-se cientificamente dos efeitos benéficos desses recursos da natureza. A própria essência do espiritismo é a pesquisa, a comprovação dos fatos. Mas recusam-se a pesquisar, a comprovar, e muitos reputam como misticismo algumas práticas. Felizmente, na atualidade, muitos cientistas têm levado sua contribuição com a descoberta dos florais, que obedecem ao mesmo princípio terapêutico dos nossos chás e banhos de ervas.

“No caso das defumações empregadas na umbanda, o princípio é o mesmo, mas, em lugar de empregar as ervas em infusão, elas são queimadas. Na queima, suas propriedades terapêuticas são transferidas ou utilizadas de forma energeticamente pura, ou seja, o fogo, a combustão, transforma a matéria em energia; isso é uma lei da física, e, quando determinada erva é queimada, sua parte astral ou etérica passa a concentrar, além de seu potencial próprio, o potencial da parte física, que é transformado no momento da combustão. O produto obtido, aliado aos fluidos dos espíritos que sabem manipular tais recursos, é de eficácia comprovada em casos de parasitismo, simbiose e larvas astrais, que são literalmente arrancadas de seus hospedeiros encarnados. Isso ocorre pela ação conjunta dos fluidos liberados na ocasião da queima das ervas, nas defumações.

“Mesmo que alguns ou muitos não aceitem tais recursos, não significa que não sejam eficazes. Basta que sejam feitas observações, com métodos científicos, e tudo será comprovado. Nesse caso, também, não se trata de misticismo, mas de puro conhecimento de certas propriedades dos elementos vegetais, minerais ou animais, a serviço do bem aos semelhantes."

CAPÍTULO 10

Libertando-se do jugo

NO OUTRO DIA, à noite, tive a surpresa de ver Erasmino na sessão da tenda. Estava quieto e cabisbaixo, ao lado de D. Niquita, sua mãe, e de Ione, que naquele momento, encontrava-se muito alegre, por haver conseguido, de alguma forma, ajudar a amiga. Erasmino conservava-se arredio e quase se levantou para ir embora quando todos começaram a cantar os pontos dos guias.

O salão encheu-se rapidamente, e, ao som dos cânticos devocionais, as entidades iam assumindo seus médiuns, ou *cavalos*, como alguns costumavam falar. Após atenderem algumas pessoas, Vovó Catarina e Pai Damião, através de seus médiuns, chamaram D. Niquita e Erasmino e conversaram com ambos em particular, explicando aspectos dos trabalhos realizados anteriormente. Vovó Catarina, a nossa querida Euzália, ao conversar com Erasmino, pediu aos presentes para cantarem um ponto, o hino dos pretos-velhos:

Vovô não quer
Casca de coco no terreiro,
Só pra não se alembrar
Dos tempos do cativeiro.

Ao som do ponto cantado, a bondosa entidade ia conversando com ele. Acreditamos que foi a tal ponto esclarecedora a mensagem espiritual que vimos aos poucos como Erasmino, ajoelhado aos pés da preta-velha, desmanchou-se em pranto convulsivo, e a entidade, amparando-o nos braços amigos, aplicou-lhe um passe com seus ramos de alfazema. O nosso amigo adormeceu ali mesmo, sendo conduzido por integrantes da casa a um aposento próximo, onde foi colocado numa maca.

As entidades comunicantes dirigiram-se para onde estava Erasmino, incorporadas em seus médiuns, e pudemos presenciar o que na umbanda se chama de descarrego.

No perispírito de nosso pupilo, ainda restavam alguns fios fluídicos, que estavam ligados ao plexo solar, e energias pesadas ainda estavam agregadas à aura do enfermo espiritual, produzindo sintomas depressivos e desmaios constantes.

Foram trazidas algumas ervas, então queimadas

em local apropriado, e os espíritos aplicaram, aliados ao efeito etérico da queima das plantas, jatos de fluidos de grande intensidade, que expurgaram de Erasmino o restante das energias mórbidas. Durante os cânticos e as rezas, saía das mãos dos médiuns imensa quantidade de energia, que revigorava as forças do nosso amigo, a tal ponto que ele acordou e, em meio a tudo que acontecia, fez menção de se levantar da maca, sendo detido pela mão vigorosa da entidade que atendia pelo nome de Caboclo das Sete Encruzilhadas, um dos trabalhadores espirituais da tenda.

O caboclo, incorporado ao médium, colocou as mãos sobre a cabeça do assistido e concentrou-se intensamente. Da cabeça do médium, partiram fios coloridos que erravam pelo ambiente e saíam da casa singela, indo ao encontro de outro espírito, que aguardava, sob o domínio dos guardiões, a hora de ser chamado. Era o que denominavam na umbanda de *puxada*. O caboclo afastou-se do médium, e outro espírito assumiu; desta vez, não era um trabalhador da tenda, mas a entidade obsessora que perseguia Erasmino. Vovó Catarina impôs-se à entidade, enquanto Pai Damião, o nosso Anselmo, pedia à assistência no salão que mantivesse o ritmo dos pontos cantados, a fim de auxiliarem na tarefa.

A entidade obsessora se manifestava com todos os sintomas de desequilíbrio, envolvendo o médium em vibrações pesadíssimas e tentando a todo custo libertar-se do domínio de Euzália. Esta, como Vovó Catarina, projetava energias sobre o córtex cerebral do médium e, juntamente com os caboclos, promovia a despolarização da memória espiritual da entidade, localizando-a em outra época, em outra encarnação, desarmando-a por completo e adormecendo-a para ser depois conduzida para Aruanda, segundo nos falou mais tarde.

Erasmino levantou-se um pouco assustado, mas, com certeza, sentia-se mais aliviado, como se uma carga houvesse sido arrancada de suas costas. Estava relativamente livre e esperava não precisar voltar mais ali, pois, apesar de haver sido beneficiado, não nutria nenhuma simpatia por tudo aquilo. Queria ir embora urgentemente.

– Calma, meu filho! – falou Vovó Catarina. – As coisas não são assim como você pensa, não! Agora vamos conversar um pouco mais.

Erasmino ficou assustado com o tom de voz da entidade, que continuou:

– Na vida, meu fio, as coisas toda obedece a uma sintonia. Nada acontece sem que nóis deva algo à própria vida. Isso tudo aconteceu para que vosmecê despertasse desse sono que ameaça sua vida. Nosso Pai Oxalá dá, mas também tira. Vosmecê precisa se inteirar de certas coisa, pois o que foi tirado de vosmecê foi apenas pra que vosmecê aproveite seu tempo e prepare seu coração. Vosmecê vai ter que estudar muito, meu fio, e trabalhar também. A caminhada é muito longa, e só depois de muito penar é que nós podemo dizer que já começamo. Eu sei que vosmecê não gosta da nossa banda, isso vosmecê não consegue disfarçar, não! Por isso, essa nega-veia vai indicar que vosmecê estude alguns livros muito importante. Posso garantir que, se vosmecê não estudar e se preparar no coração, as coisa pode voltar, e quem sabe Deus como vosmecê se encontrará? Pois bem, meu fio, vosmecê segue em paz; que a força de nosso pai Oxalá proteja seus passo e nossa mãe Maria Santíssima dirija seus pé no caminho da paz.

Chamando outro médium, a entidade indicou alguns livros para o rapaz estudar – *O Evangelho segundo o espiritismo* e *O livro dos espíritos*, ambos de Allan Kardec – e falou para todos ouvirem:

– Num assustem não, meus fios! Acontece que cada um deve ir aonde manda o seu coração. O nosso irmão não se sente à vontade com nossos trabalhos, por isso, nega-veia enviou ele para os cuidados de outros companheiros espirituais. Deus abençoa que ele desperta logo e começa a sua tarefa, senão nós num podemo garantir nada pra ele. Tem que mudar o coração.

Despedindo-se dos médiuns e dos assistentes, retirou-se a entidade, ao som do ponto que, cantado, dizia:

A Aruanda é longe,
E ninguém vai lá.
É só os preto-velho
Que vai lá e torna a voltar.

Os trabalhos da noite terminaram. Após conversar com Erasmino, D. Niquita retirou-se com ele e Ione, e, deste lado da vida, ficamos nós, observando quais caminhos trilharia nosso irmão.

Curioso como sempre, ia aventurar-me a perguntar a Arnaldo alguma coisa, quando ele mesmo falou, adivinhando meus sentimentos e pensamentos:

– Aruanda, meu amigo, significa, hoje, o plano espiritual onde se reúnem os espíritos responsáveis pelos trabalhos da umbanda. É um plano belíssimo e também é uma colônia espiritual, para onde são conduzidos espíritos para serem recambiados ao caminho do bem, sob as bênçãos e as orientações de pretos-

-velhos e caboclos, que se apiedam de nossos irmãos encarnados e desencarnados, atuando como instrumentos de Deus para o despertamento de seus filhos.

Calei-me momentaneamente para digerir os ensinamentos e as experiências que tivera naquela semana de atividades. A noite salpicada de estrelas mostrava-nos Aruanda, a pátria espiritual dos filhos da umbanda.

CAPÍTULO 11

Tambores de Angola

"Era noite. Naquele tempo, não tínhamos as luzes da civilização. O gemido do negro no poste do martírio fazia com que todos temêssemos por nossas vidas. Ninguém estava seguro. Sinhazinha era temida por toda a negrada, e muitas e muitas noites nós passamos ao relento, sem ao menos termos a chance de dormir dentro das senzalas. Era o nosso castigo por sermos escravos. Quitéria era uma negra muito bonita, e, por causa dela, todos nós sofríamos.

"Nas noites tristes das senzalas, ouvia-se o som dos nossos tambores. Os tambores de Angola, nossa terra, que talvez nunca mais veríamos. Ah! Como era duro ser negro naqueles dias. Nosso destino era servir. Servir até a morte.

"Os tambores tocavam o ritmo cadenciado dos orixás, e nós dançávamos. Dançávamos todos em volta da fogueira improvisada ou à luz de tochas ou velas de cera que fazíamos. A comida era pouca, e, para passar a fome, nós dançávamos a dança dos orixás. E assim, ao som dos tambores de nosso povo, nos divertíamos, para não morrer de tristeza e sofrimento.

"Eu era chamada de feiticeira; mas eu não era feiticeira, era curandeira. Entendia de ervas, com as quais fazia remédios para o meu povo; além disso, eu era a parteira do povo de Angola, que estava errando naquela terra de meu Deus. Até que Sinhazinha me tirou do meu povo. Ela não queria que eu usasse meus conhecimentos para curar os negros, somente os brancos; afinal, negro – dizia ela – tinha que trabalhar e trabalhar até morrer. Depois, era só substituir por outro. Mas Dona Moça não pensava assim. Ela gostava de mim, e eu, dela.

"Fui jogada num canto, separada dos outros escravos, e, em todas as noites, eu chorava ao saber que meu povo sofria e eu não podia fazer nada para ajudar. De dia, eu descascava coco e moía café no pilão. À noite, eu cantava sozinha, solitária. E ouvia o cantar triste de meu povo, de longe. Ouvia o lamento dos negros de Angola pedindo a Oxalá a liberdade, que só depois nós entendemos o que era. E os tambores tocavam o seu lamento triste, o seu toque cadenciado, enquanto eu respondia de meu cativeiro com as rezas dos meus orixás. A liberdade, que era cantada por todos do cativeiro, só mais tarde é que nós a compreendemos. A liberdade era de dentro, e não de fora.

"Aqueles eram dias difíceis, e nós aprendemos com os cânticos de Oxóssi e as armas de Ogum o que era se humilhar, sofrer e servir, até que nosso espírito estivesse acostumado tanto ao sofrimento e a servir sem discutir, sem nada obter em troca que, a um simples sinal de dor ou qualquer necessidade, nós estávamos ali, prontos para servir, preparados para trabalhar. E nosso Pai Oxalá nos ensinou, em meio aos toques dos tambores na senzala ou aos chicotes do capitão, que é mais proveitoso servir e sofrer do que ser servido e provocar a infelicidade dos outros.

"Um dia, vítima do desespero de Sinhá, fui levada à noite para o tronco, enquanto meus irmãos na senzala cantavam. A cada toque mais forte dos tambores, eu recebia uma chibatada, até que, desfalecendo, fui conduzida nos braços de Oxalá para o reino de Aruanda. Meu corpo, na verdade, estava morto, mas eu estava livre, no meio das estrelas de Aruanda. Em meu espírito, não restou nenhum rancor, mas apenas um profundo agradecimento aos meus antigos senhores, por me ensinarem, com o suor e o sofrimento, que mais compensa ser bom do que mau, sofrer cumprindo nosso dever do que sorrir na ilusão, trabalhar pelo bem de todos do que servir de tropeço. Eu era agora liberta, e nenhum chicote, nenhuma senzala poderia me prender, porque agora eu poderia ouvir por todo lado o barulho dos tambores de Angola, mas também do Queto, de Luanda, de Jeje e de todo lugar. Em meio às estrelas de Aruanda, eu rezava. Rezava agradecida ao meu pai Oxalá."

Assim a companheira Euzália, a querida Vovó Catarina, contou sua história da época do cativeiro e sua libertação do jugo tirano. E, continuando, falou:

– Fui pra Aruanda, lugar de muita paz! Mas eu retornei. Pedi a meu pai Oxalá que desse oportunidade pra eu voltar ao Brasil pra poder ajudar a Sinhá, pois ela me ensinou muita coisa com o jeito dela de nos tratar. E eu voltei. Agora as coisas pareciam mudadas. Eu não era aquela nega feia e escrava. Era filha de gente grande e bonita, sabia ler e ensinava as crianças dos outros. Um dia bateu à minha porta um homem com uma menina enjeitada da mãe. Era muito esquisita, doente e trazia nela o mal da lepra. Pobre criança! Não tinha pra onde ir, e o pai desesperado não sabia o que fazer. Adotei a infeliz, fui tratando aos poucos e, quando me casei, levei a menina comigo. Cresceu, deu problema, mas eu a amava muito. Até que um dia ela veio a desencarnar em meus braços, de um jeito que fazia dó. Quando eu retornei pra Aruanda, o que vocês chamam de plano espiritual, ela veio me receber com os braços abertos e chorando muito, muito mesmo. Perguntei por que chorava se nós duas agora estávamos livres do sofrimento da carne. Então, ela, transformando-se em minha frente, assumiu a feição de Sinhazinha! Ela era a minha Sinhá do tempo do cativeiro. E nós duas nos abraçamos e choramos juntas. Hoje, trabalhamos nas falanges da umbanda, com a esperança de passar a nossa experiência pra muitos que ainda se encontram perdidos em suas dificuldades.

A história de Euzália era um verdadeiro poema de amor. Com certeza, aquele espírito bondoso alcançara uma força moral tal que lhe facultara a oportunidade de dirigir aquele agrupamento fraterno.

Aproveitando a ocasião, procurei saber de Euzália a respeito dos costumes de pais e mães de santo, que fazem uma preparação com seus filhos de santo, raspando-lhes a cabeça ou *firmando o santo*, como falam nos terreiros. Ela esclareceu-me com boa vontade:

– Esse costume, meu filho, se reporta aos cultos de candomblé, e não propriamente à umbanda. Nós reconhecemos que a verdadeira preparação é a vida moral elevada, que é de um valor inquestionável em qualquer seara que o filho de Deus se encontre. Mas outros companheiros que guardam suas raízes nos cultos de candomblé e estão numa fase de transição para a umbanda continuam com alguns costumes, que tentam manter a todo custo, apesar dos progressos que já realizamos nessa área.

"Para você ter uma ideia aproximada do que acontece nesses cultos, quando um indivíduo se apresenta para ser preparado como filho de santo de algum orixá, é exigido dele que se recolha por um período, mais ou menos longo, numa camarinha, espécie de cômodo onde ele fica recluso, conforme a nação do candomblé, ou seja, Jeje, Queto, Angola ou outra. Durante o período de reclusão, o filho de santo vai estreitando os laços fluídicos com o elemento dominado por seu orixá. Ou seja, se for Oxóssi o orixá do filho, ele vai assimilar o magnetismo das folhas e das matas, pois, no candomblé, Oxóssi é considerado o responsável por essa parte da natureza. E assim por diante: se for Oxum, assimilará as energias das fontes das águas doces; se Iemanjá, das águas salgadas, embora seja isso muito deturpado nos terreiros que mantêm tais rituais. Passado o período que o culto exige, é realizada a raspagem do cabelo para se fazer a parte final. Apanha-se uma pedra, que nesses cultos é chamada de *otá*, por processos normalmente conhecidos pelo pai ou pela mãe de santo. A força correspondente ao orixá é magnetizada nessa otá e na cabeça do filho de santo, e, em alguns casos, é feita uma pequena abertura no alto da cabeça, mais ou menos no lugar que corresponde ao chacra coronário. Aí é fixada a força do santo ou orixá, que passa a ter domínio sobre quem se submete a ele. Mas o que nem todos sabem é que, quando se realiza a matança de animais e se derrama o sangue sobre a otá, ou pedra sagrada dos candomblés, atraem-se energias pesadas e entidades primitivas que se alimentam desse energismo primário, como vampiros. À medida que, mensalmente, vão sendo alimentadas essas entidades com energias animalizadas e fluido vital de animais sacrificados, vai-se criando um elo mais forte entre o filho do orixá e essas forças astrais que se utilizam de tal energia. Estreitam-se o laço de união e a dependência entre ambos, criando-se uma egrégora doentia, mórbida e de baixíssima vibração, que, cada vez mais, quer ser atendida em seus pedidos grosseiros. Tem início aí a magia negra, com seus rituais sombrios, que têm feito muitas vítimas pelo mundo afora.

“Mas o processo não termina aí. Quando o tal filho de santo desencarna, encontra-se prisioneiro dessas entidades que se manifestavam como santos ou orixás; passa a ser presa deles nas regiões pantanosas do além-túmulo. Em processos difíceis de descrever, inicia-se um intercâmbio doentio de energias entre os dois, e – posso lhe afirmar –, se não fosse pelos caboclos e os pretos-velhos, auxiliados pelos guardiões na tarefa abençoada de resgatar esses filhos, dificilmente os pobres se veriam livres da simbiose espiritual que lhes infelicita a existência deste lado da vida.

“Às vezes por anos ou séculos, mantêm-se prisioneiros nas garras de entidades perversas e atrasadas, as quais, quando encarnados, alimentaram com o sangue de animais inocentes, submetendo-se a essas e outras exigências esdrúxulas de espíritos que deles se aproveitavam. Os pântanos dos subplanos astrais se encontram cheios de criaturas que são vampirizadas por maltas de espíritos alimentados em ebós e despachos realizados em matas, cachoeiras e encruzilhadas na Terra. Choram amargamente ou têm seus túmulos constantemente visitados e desrespeitados por essas entidades com quem na vida física compactuaram. Por aí você pode ter uma ideia do trabalho que os pretos-velhos e os caboclos da umbanda têm para o resgate dessas almas infelizes. É uma tarefa que muitas vezes os nossos irmãos kardecistas não podem realizar, pois trabalham com fluidos mais sutis e desconhecem certos segredos ou certos detalhes que envolvem os dramas de filhos, pais e mães de santo desencarnados, ou seja, somente quem já teve experiência nessa área poderá ajuizar melhor e socorrer mais eficazmente esses irmãos sofredores."

– Mas será que tais pais e mães de santo não sabem do risco que correm ao permanecer incorrendo nesse procedimento?

– Julgam-se donos da verdade e tentam se enganar ou a outros, que são protegidos, que têm a cabeça feita e, por isso mesmo, não receiam o que possa lhes acontecer. Enganam-se redondamente. Só mais tarde, quando aportarem neste lado da vida, é que verão sua triste realidade e buscarão ajuda. Chorarão amargamente. Mas, quando lhes foram faladas verdades espirituais por parte de um simples preto-velho ou caboclo da nossa umbanda, julgaram ignorância ou falta de preparo e continuaram envolvidos em seus sistemas de trabalho, até que a dor abençoada os despertasse mais tarde para a situação real de suas almas.

– Você falou que, algumas vezes, os espíritos que se alimentaram do sangue dos animais sacrificados continuam, após a morte desses pais e filhos de santo, a sugar suas energias na sepultura. Como se dá isso?

– É claro que entidades venerandas e esclarecidas não precisam de sangue e oferendas para realizar suas tarefas espirituais. Portanto, somente aqueles que não se libertaram das situações grosseiras e do atavismo secular que os mantêm ligados a essas energias primárias é que se sintonizam com tais práticas. O filho, o pai ou a mãe de santo vão alimentando essas energias com sacrifícios, bebidas e ebós, criando a dependência dessas entidades, que, quando se veem privadas do alimento ou do plasma do sangue do sacrifício, dos despachos de onde tiravam os fluidos animalizados para satisfazerem-se, procuram-no em local mais propício. Quando desencarnam seus alimentadores – seus *filhos*, como eram chamados –, essas entidades passam a frequentar sua sepultura e, não raras vezes, permanecem ligadas aos despojos carnais em putrefação quando os alimentadores são vampirizados por aqueles a quem serviam em vida. São perseguidos, então, e seus restos mortais passam a ser o repasto dessas entidades que antes consideravam *santos* ou *escoras*. Na verdade, trata-se do que erroneamente se chama de exus, mas que são, na realidade, quiumbas disfarçados, espíritos grosseiros e atrasados ligados a essas almas infelizes.

– Mas e os mentores dessas pessoas, será que não

podem interferir nesse processo para alertá-las ou libertá-las?

– Isso já tentam há muito tempo, mas, como se deve respeitar o livre-arbítrio de todos, esperamos que, no momento adequado, estejam preparados para ouvir os apelos santificantes do Alto ou de Aruanda. Eles têm, na Terra, as vozes da umbanda e as orientações do espiritismo, mas, se não quiserem ouvi-las, somente os séculos de dores e sofrimentos em futuras reencarnações, ou nos pântanos do mundo astral, é que farão com que acordem. Até lá, continuemos trabalhando, confiando no Pai Maior.

Euzália foi muito esclarecedora, e tanto sua lição de vida como suas elucidações sobre o assunto fizeram-me parar para pensar em quanto a umbanda, a verdadeira umbanda, tem realizado e tem a realizar por essas almas equivocadas. Euzália convidou-me a uma prece, e pude ver, rolando em sua face, duas lágrimas disfarçadas, duas pérolas de luz que certamente caíam em lembrança dos sons dos tambores de Angola, que ficaram no passado distante. Agora restava o futuro, o trabalho, a esperança nas luzes de Aruanda.

CAPÍTULO 12

Novos Tempos

D. NIQUITA CONTINUOU a frequentar a tenda, pois se sentia muito à vontade e satisfeita com as tarefas que realizava na casa singela de Euzália. Ione "desenvolveu" sua mediunidade e trabalhava como médium sob a orientação umbandista, e Erasmino... Bem, Erasmino partiu para o estudo, muito embora ele o fizesse por medo de que tudo voltasse a ser como antes. Começou a ler os livros espíritas e, sempre que podia, ia a alguma reunião pública de certa casa espírita na capital paulista, sem, contudo, querer mais comprometimentos com a causa.

Certo dia, descobriu que seu companheiro de trabalho era espírita, e começou então um período longo de perguntas, de curiosidades e de satisfação com as verdades que descobria. Em casa, tentava convencer a mãe de que tudo que havia passado era coisa da cabeça dele e que a umbanda era "baixo espiritismo", coisa de gente atrasada.

A mãe, silenciosa, continuava com suas rezas e, às vezes, ia ao centro espírita para agradar o filho, mas guardava suas raízes nos ensinamentos sagrados da umbanda, como costumava falar. Permanecia em silêncio.

Certo dia, Erasmino, numa conversa com seu amigo Paulo César, quis saber por que os espíritos superiores permitiam a existência do que ele chamava de "baixo espiritismo". Teve a sua resposta:

– Acredito, meu amigo, que, primeiramente, é falta de caridade referirmo-nos a nossos irmãos de maneira pejorativa; depois, seria ignorância nossa classificar a umbanda como sendo uma parte do espiritismo. Nada tem a ver uma coisa com a outra. Umbanda é umbanda, e o espiritismo continua sendo o espiritismo. Temos algo em comum: é o desejo de servir, de sermos úteis ao mesmo Senhor, embora adotemos formas que, na aparência, são diferentes, mas, no fundo, se integram na ação fraterna.

"O espiritismo é a doutrina codificada por Allan Kardec e inaugurada na Terra em 18 de abril de 1857, na França. Tem por objetivo estudar as leis espirituais que regem os dois mundos, de encarnados e desencarnados, estabelecendo, em bases de sólida moral, os princípios superiores da vida. É doutrina consoladora e visa ao despertamento do homem, à sua descoberta interior, ao despertar e à iluminação de sua consciência, mas isso não nos dá o direito de nos referir aos outros companheiros de jornada como sendo uma expressão baixa de nossa doutrina. Mesmo porque, o termo *espiritismo* foi criado por Allan Kardec para referir-se à doutrina dos espíritos, codificada por ele, e, embora a umbanda seja uma religião de caráter mediúnico, não é espiritismo, nem alto e muito menos baixo, assim como não podemos dizer que umbanda e candomblé são a mesma coisa."

Erasmino, sem graça, tentou consertar o que dissera, dando curso à conversa e perguntando desta vez:

– Mas por que todos falam "tenda espírita de umbanda" ou "médium espírita umbandista" referindo-se, dessa forma, ou à umbanda ou aos seus médiuns?

Respondendo, Paulo disse-lhe:

– A palavra *espiritismo* foi criada, como lhe disse antes, para referir-se à doutrina dos espíritos, codificada por Kardec; no entanto, aqui, no Brasil, talvez por falta de orientação, as pessoas tomaram emprestado o termo espiritismo para designar toda manifestação mediúnica ou que julguem mediúnica, mesmo que não seja espiritismo. A confusão se estabeleceu por causa da desinformação por parte do povo, que, devido à divulgação da doutrina espírita no Brasil, aproveitou e tentou unir as duas expressões, umbanda e espiritismo, embora sejam distintas uma da outra. Por exemplo, posso lhe dizer, meu caro, com todo o respeito que tenho pelos nossos irmãos umbandistas, que a umbanda é uma religião que guarda muitos elementos ritualísticos, próprios do seu culto, utilizando-se os seus médiuns de roupas brancas, como uniforme; de colares, em alguns casos; banhos de ervas, defumadores e todo um instrumental a fim de canalizar as energias psíquicas no trabalho que realizam. No espiritismo, no entanto, não temos nenhum ritual, nem roupas brancas, nem velas, nem banhos ou outra forma externa de culto. Prima-se, no espiritismo, pela simplicidade absoluta. Se você encontrar, algum dia, alguma casa ou centro que diz ser espírita mas continua utilizando ritual ou não se encaixa na característica simplicidade, que encontramos nos livros de Allan Kardec, poderá ser qualquer outra coisa, menos espiritismo, mesmo que seus dirigentes digam o contrário.

“Existem muitos centros que utilizam métodos próprios, com rituais, uniformes e um monte de outras coisas, com objetivos os mais variados; mesmo que sejam bons, não refletem a natureza dos princípios espiritistas. São respeitáveis em seus propósitos, mas, se teimam em agir contrariamente às orientações de Allan Kardec, caracterizam-se como espiritualistas, mas não espíritas.

"Mas por isso não podemos falar de nossos companheiros umbandistas. Embora ambos trabalhemos com expressões do mundo espiritual, os seus métodos diferem dos nossos, pois não se baseiam nos ensinamentos de Allan Kardec, mesmo que leiam e recomendem os livros espíritas. Têm literatura própria, ensinamentos que, em suas bases, refletem as verdades espirituais e, na forma, diferem da maneira como estudamos nos centros e nas fraternidades espíritas. Contudo, continuam sendo merecedores de nosso carinho, respeito e amor, os quais devem reger as relações da grande família espiritual."

– É bom esclarecer – continuou Paulo – que a doutrina espírita está alicerçada em três pilares inamovíveis, que lhe caracterizam as estruturas doutrinárias: o aspecto científico, que estuda e comprova os fatos, com base em observações criteriosas e utilizando a instrumentalidade mediúnica para devassar as leis que regem o intercâmbio dos dois planos da vida; o aspecto filosófico, que parte dos questionamentos de todos os homens e traz-nos elucidações valiosíssimas quanto à origem, à natureza e à destinação dos espíritos em suas relações com o mundo corpóreo; e o aspecto religioso ou moral, destituído de misticismos, rituais ou qualquer outra expressão externa de um culto organizado, elevando a mente e a consciência a um estado de expansão e de responsabilidade perante as leis da vida, por meio da reforma íntima ou da moralização do ser.

Erasmino, agora um pouco transformado, lembrou-se do que ouvira na tenda e resolveu que, se por enquanto não conseguia, por deficiência própria, aceitar a ideia que lhe fora transmitida, seguiria calado, respeitaria sua mãe em suas decisões e estudaria também, com mais método e disciplina. Resolveu modificar-se e, sem querer, seguia o conselho da preta-velha. Estava mudando seu coração. Continuando a conversa, que se mostrava muito franca e esclarecedora, perguntou a Paulo:

– Existe alguma diferença básica, em termos doutrinários, entre o espiritismo e as outras religiões? Você poderia me dar alguma orientação a respeito?

– Perfeitamente, meu amigo! – respondeu Paulo. – A doutrina espírita, sendo o consolador prometido pelo Mestre Jesus, vem trazer diversas contribuições, em termos doutrinários, para o crescimento moral e intelectual da humanidade. Primeiramente, temos os princípios básicos ou fundamentais, que diferem em muitos pontos de outras confissões religiosas, mesmo as que se dizem espiritualistas.

"O conceito de Deus, por exemplo, sempre foi deturpado em diversas religiões, dando uma ideia mística, antropomórfica ou material da divindade. O espiritismo inaugurou uma era cósmica, trazendo o conhecimento de Deus como sendo a causa primária de todas as coisas – conforme se encontra estabelecido em *O livro dos espíritos*, no item número um –, expandindo o conceito paternalista de Deus e dando sentido lógico à origem de todas as coisas. Deus deixou de ser um demiurgo, uma divindade pessoal, para ser apresentado como Consciência Cósmica, cuja essência está presente em todas as dimensões do universo, presidindo à formação e à manutenção de toda a criação, de todos os seres, visíveis e invisíveis. Deus é a causa primária de todas as coisas.

"Seguindo a lógica insuperável da ideia da existência de Deus, a doutrina espírita estabelece como decorrência natural dessa existência a imortalidade da alma, ponto fundamental de toda a vida universal. É consequência social da imortalidade a lei da reencarnação ou dos renascimentos sucessivos – forma de evolução que, por sinal, é outro princípio fundamental do espiritismo, a qual vem a ser confirmada pela ciência. E, por falar em ciência, meu amigo, a doutrina não somente estabelece a verdade da imortalidade da alma como a prova cientificamente, através da mediunidade, fenômeno psíquico de investigação do mundo espiritual e de suas leis eternas. Dessa forma, os princípios doutrinários vão se desdobrando de maneira lógica e coerente: a razão e o bom senso presidem de forma harmoniosa os postulados fundamentais dessa doutrina de verdade e amor."

Erasmino sentiu-se mais animado e fortalecido interiormente, notando que algo se modificava em seu íntimo. Com os esclarecimentos de Paulo, sentiu-se animado em continuar suas pesquisas e seus estudos. Paulo, por sua vez, lançou mais luz sobre Erasmino, indicando-lhe:

– Você sabe que temos, no movimento espírita, que é diferente de doutrina espírita, uma literatura de valor inestimável; no entanto, eu aconselho você a começar pelo começo, lendo os livros básicos da codificação: *O livro dos espíritos*, *O livro dos médiuns*, *O Evangelho segundo o espiritismo*, *A gênese* e *O céu e o inferno*, todos de Allan Kardec.[1] Mais tarde, como desdobramento natural, você irá se inteirar de outros aspectos, que são esclarecidos e exemplificados em outros livros, que temos aos montes. Tenha o cuidado, no entanto, de verificar a seriedade do autor e os valores apresentados. Assim, você estará realmente começando da maneira correta.

Erasmino foi, aos poucos, se modificando. Estudava com mais interesse, anotava suas observações. Aos poucos, ia se inteirando e se integrando ao movimento espírita local.

Em casa, as coisas realmente melhoraram. D. Niquita já conseguia conversar com Erasmino a respeito de questões espirituais sem que ele quisesse convertê-la. No seu interior, continuava com certo preconceito, que foi mais profundamente firmado devido a opiniões de companheiros espíritas que não se esclareciam a respeito. Mas, sempre que podia, Paulo César, seu amigo, dava-lhe algumas lições de fraternidade.

[1] Entre outras obras, Kardec escreveu também o importante volume introdutório *O que é o espiritismo*, pensando em favorecer a difusão do espiritismo entre leigos e iniciantes. Todos os títulos citados têm referência completa na seção *Referências bibliográficas*, com tradução sugerida, embora haja outras disponíveis.

Em certa conversa com Paulo, resolveu perguntar a respeito dos métodos de trabalho com os espíritos. Paulo, sempre de boa vontade, explicou-lhe:

– As casas espíritas normalmente adotam reuniões públicas, nas quais as pessoas são esclarecidas a respeito dos princípios básicos da doutrina espírita. Nessas reuniões, são ministrados ensinamentos evangélicos, que auxiliam no equilíbrio psicofísico do indivíduo, além dos passes, que são transfusões de energias vitais destinadas a limpar a aura, refazer as forças e auxiliar em tratamentos daqueles que necessitem.

"Para intercâmbio com os espíritos, são realizadas reuniões privativas, sem assistência, nas quais os companheiros desencarnados que estejam em situações conflitantes ou aflitivas são encaminhados ao tratamento espiritual. São as chamadas reuniões de desobsessão ou de terapia espiritual.

"Muitos centros adotam outras reuniões de caráter privativo, como a de educação mediúnica, na qual os médiuns são preparados para o intercâmbio entre os dois lados da vida; e reuniões de tratamento, chamadas também de reuniões de cura, destinadas a cirurgias espirituais ou a passes magnéticos. Conforme o compromisso de cada casa espírita, são criadas reuniões especializadas, mas todas devem obedecer aos princípios da codificação espírita, com simplicidade, sem rituais ou outras formas exteriores de culto. O culto espírita é o do coração, da razão e do trabalho constante no bem."

Erasmino, com o tempo, foi integrando-se aos trabalhos de certa casa espírita. Realizou diversos cursos, como o Curso de Aprendizes do Evangelho, o Curso Básico de Espiritismo e o de Educação Mediúnica, ministrados na casa espírita que frequentava. Aprendeu muito e integrou-se a caravanas de auxílio aos necessitados, fazendo visitas a hospitais, creches e asilos. Realmente estava modificado. Pelo menos, era o que pensava, o que dizia, o que desejava. Mas a reforma é obra de toda uma vida, e não de apenas algumas decisões. É necessário perseverança e disciplina, o que se aprende com o tempo e com muito trabalho.

Erasmino mostrou-se, com o transcorrer das experiências, um excelente doutrinador; tinha a palavra fácil e a agilidade para conversar com os desencarnados. Conhecia agora a doutrina espírita e não se fazia de rogado quando aparecia uma tarefa para fazer. Integrou-se, dessa maneira, a um grupo mediúnico. Foi indicado pelo mentor da casa como doutrinador.

Encontrava-se satisfeito, tranquilo intimamente; no fundo, depois desse tempo todo, havia se esquecido da umbanda, de Pai Damião e de Vovó Catarina. Eram novos tempos. Novos trabalhos.

Mas, no plano espiritual, a tarefa começada um dia, na tenda de Pai Damião e Vovó Catarina, não havia chegado a termo, embora o tempo houvesse passado. Os bondosos espíritos haviam procurado o concurso da casa espírita onde agora Erasmino estava se integrando e para lá conduziram o antigo verdugo do nosso irmão, a fim de ser esclarecido. Como a vida nos dá lições belíssimas e preciosas em suas voltas tortuosas...

CAPÍTULO 13

Reencontro com o passado

CERTO DIA, ACHAVA-SE Erasmino num trabalho mediúnico, quando deparou com um companheiro de difícil doutrinação. Passaram-se meses e meses, e não conseguia definir a problemática do companheiro espiritual que visitava aquela reunião espírita. Apesar de todos os seus argumentos, não conseguia convencê-lo de sua situação espiritual. Orou, orou e rogou recursos do Alto. Mas a doutrinação prosseguia, fatigante, arrastando-se por vários meses. Passou um ano, e o espírito não desistia de seu intento.

– Meu irmão, me conte o que o leva a tamanho ódio contra o companheiro que você diz perseguir. Não terá você, porventura, falhado igualmente em seu passado espiritual? Diga-me, por Deus, qual o nome desse infeliz a quem você persegue? O que lhe fez o desgraçado?

Entre gargalhadas, deboches e juras de maldição o espírito permanecia preso às recordações do passado, ao ódio e ao desejo de vingança.

– Você não sabe o que ele me fez – falava a entidade. – Ele não merece ser ajudado.

– Então, conte-me o que lhe fez esse companheiro, *meu irmão*!

– *Meu irmão* que nada! – respondia o comunicante. – Você nem imagina como sofri nas mãos do celerado. Encontrávamo-nos em situação invejável em país da Europa – começou a falar o obsessor. – Eu era pai de três lindas meninas, e ele, o infeliz, repartia comigo o trabalho, que nos rendia imensa fortuna. Ninguém desconfiava do que fazíamos. Ele era jogador afamado e, certo dia, depois de apostar tudo que tinha, correndo risco no jogo, perdeu a fortuna; vendo-se em desespero, começou a arquitetar um plano diabólico para recuperar-se do ocorrido.

"Traficávamos escravos para terras longínquas e nem nos importávamos com a desdita daquelas bestas. Mas eu não sabia da desgraça que estava para se abater sobre a minha família. O famigerado, que se dizia meu amigo, aproveitou uma viagem que fiz para outro país e fez negócio com um rico senhor que partia para além-mar. Enganou minha mulher e minhas filhas e, a pretexto de levá-las até onde eu estava, vendeu-as ao senhorio, que o admitiu também na tripulação da caravela."

Quanto mais o espírito falava, mais Erasmino parecia transportado à história. Visualizava as cenas da desdita do espírito comunicante. No fundo, passou a compreender o seu desejo de vingança. O espírito continuava a narrativa:

– Só mais tarde, no navio, minha mulher surpreendeu-se com uma conversa entre os dois negociantes da infelicidade alheia e acordou para o acontecido. O senhorio tentou a todo custo romper as defesas morais de minha mulher e da filha mais velha. Não conseguindo, depois de todos os esforços que empreendeu, entregou-as à tripulação da caravela para que abusassem delas. Seu sofrimento deve ter sido infinito, até que morreram, depois de noites e noites de sofrimentos morais nas mãos daquela corja de homens estúpidos e marginais. Minhas outras duas filhas foram vendidas como escravas e tiveram cortadas as suas línguas, para evitar que falassem. Uma delas quase veio a morrer, não fosse a bondade de uma negra, que a salvou da situação dando-lhe algumas ervas para mastigar, o que lhe aliviou as dores. As duas se consolavam, pois ambas eram prisioneiras. Ocorre que uma era negra, e a outra, branca, mas inutilizadas com a desgraça que lhes sobreveio.

"Quando eu soube do acontecido, quase morri de desgosto. Desfiz-me de tudo que me restava para sair à procura de minha família. Era o fim para mim. O desgraçado escapou, e jurei vingança. Só quando morri é que fui descobrir toda a verdade a respeito e comecei a perseguir o infeliz. Contratei outros espíritos para me ajudarem em minha sede de vingança, e agora você intenta me demover de meus objetivos."

O espírito contava a sua vida, e todos o ouviam com imenso respeito pela dor do companheiro, que sofria há séculos devido ao ódio que trazia no coração. Erasmino emocionou-se ao extremo e pediu socorro aos imortais quanto ao caso, pois se encontrava impotente para dar conselho ao irmão sofredor. Sua dor era realmente procedente. Como poderia Erasmino falar-lhe, demovê-lo da vingança cruel se ele mesmo, sendo o doutrinador, estava condoído da situação? Gostaria intimamente de saber quem era aquele que promovera tamanha desdita na vida de uma família. Quem poderia ser o celerado que tanta desgraça espalhou ao longo do tempo?

Rogou ao Alto o recurso necessário para continuar o diálogo, quando se manifestou uma entidade numa das médiuns da casa, que disse:

– Meus filhos, Deus abençoe-nos os esforços de

trabalho no bem. Muitas vezes, em nossas experiências transatas, semeamos a dor e a maldade pelos caminhos por onde andamos. Temos aprendido os conceitos do eterno bem, mas não os vivemos e, mesmo depois de séculos de experiências dolorosas, continuamos a abrigar em nosso íntimo os desejos inconfessáveis, a violência disfarçada e os fantasmas da intolerância e do preconceito, os quais, no passado, foram motivo de quedas dolorosas. É hora de refazermos nossas pegadas nas areias do tempo. É hora de recomeçarmos nossa jornada sem nada perguntarmos, sem nada exigirmos da vida, mas nos doando em tarefas de amor e de paz. Semeemos as sementes da bonança e aprendamos a perdoar incondicionalmente, até que nossas almas tenham aprendido o significado do verbo divino: amar.

Por várias e várias vezes, repetiu-se a visita do companheiro espiritual, e a história que ele contava se desdobrara em mais duas encarnações, nas quais ele se vira vítima da mesma pessoa e em circunstâncias semelhantes. Sempre a mesma entidade orientadora estava presente no fim da comunicação, dando suas lições preciosas de amor e fraternidade. Certa vez, um dos médiuns presentes na reunião conseguiu ver os reflexos luminosos em que se envolvia o elevado comunicante espiritual e descreveu a cena, com emoção que contagiou a todos. Era um espírito muito elevado e parecia estar ligado ao doutrinador, que era Erasmino. Ele sentiu-se satisfeito com a presença espiritual, mas não conseguia tirar da cabeça o caso do companheiro sofredor, que, há mais de um ano, visitava a reunião mediúnica sem que ele conseguisse pôr termo ao caso. Além disso, Erasmino fixara na mente que gostaria de conhecer o responsável por tamanha desdita da criatura. Deveria ser alguém que, embora encarnado, destilasse veneno e ódio; talvez, identificando-o, poderia prevenir quem estivesse envolvido com ele, evitando que fizesse novamente, no presente, o que fizera no passado com aquela entidade que se manifestava.

O tempo foi passando, e a história desdobrava-se nas palavras do espírito comunicante, que, a cada mês, trazia um aspecto mais aterrador do drama que vivera. O doutrinador já estava comovido ao máximo com o caso e aprendera a amar profundamente o comunicante sofredor. Já não conseguia dormir direito, agora sonhando com as cenas de desespero no navio, as mortes da filha e da esposa do companheiro e o destino infeliz da outra filhinha dele. Orava cada vez mais insistentemente, pedindo ao Alto que o auxiliasse revelando-lhe o causador de tamanha desgraça. Queria conhecê-lo de qualquer maneira.

Resolveu, então, pedir a ajuda da elevada entidade que, sempre após a comunicação do infeliz espírito, vinha em auxílio para trazer o lenitivo por meio de mensagem confortadora.

Certo dia, durante a reunião de doutrinação, ou desobsessão, Erasmino teve uma oportunidade de conversar com o elevado mensageiro. Este lhe disse que lhe daria a oportunidade que pedira na próxima reunião, mas que continuasse em prece, pois seria necessário muito equilíbrio para continuar seu trabalho após a revelação.

Todos estavam na expectativa. Prepararam-se intimamente, e nunca a reunião se mostrara tão produtiva quanto naquela noite. O espírito comunicante disse que não voltaria mais e que estava agora aliviado por poder contar sua história. Não havia mais rancor em seu coração, pois um espírito elevado o havia esclarecido a respeito de muitas questões que ele ignorava. Todos choravam, pois aprenderam a amar aquele irmão. Erasmino estava profundamente abalado pela comovente história, que acompanhou durante mais de um ano. Chorava de emoção, quando resolveu perguntar ao companheiro que se despedia se ele poderia identificar o causador de todo o seu mal, da sua infelicidade. O companheiro olhou para o doutrinador e perguntou:

– Você quer mesmo saber de quem se trata?

– Sim, meu irmão! Afinal, nós estamos encarnados, e ele, também. Será de muita utilidade que saibamos, para que possamos ajuizar melhor e talvez até prevenir quem de direito, para evitar que tal pessoa repita com outro o que fez com você em mais de uma encarnação.

– Mas eu mudei, meu senhor, acho que não devo falar mais sobre isso.

– Eu insisto, meu irmão, eu insisto, por favor...

O espírito, através do médium que lhe dava passividade, respirando fundo, disse para Erasmino:

– Foi você, meu senhor! Foi você!... — E retirou-se do médium para não mais voltar àquele núcleo de atividades.

Erasmino ficou semiparalisado com a revelação. Todos ficaram boquiabertos, mas o trataram com muito carinho e deram-lhe o apoio necessário para que superasse o choque. A reunião terminou, e Erasmino retornou ao lar com a ajuda de companheiros. Por alguns meses, não voltou à casa espírita. Estava realmente abalado com o que ouvira. Desejou tanto saber a verdade a respeito do passado daquele espírito e, quando soube que fora ele o causador de tamanha desgraça, abalou-se profundamente. Abateu-se o seu espírito. Precisava repensar sua vida. Pensou que estava tudo resolvido a respeito de si, e agora o passado viera à tona novamente. Não sabia o que fazer. Estava verdadeiramente perdido. Trazia uma cota de culpa, um processo mal-resolvido de seu passado espiritual. Embora o espírito o houvesse perdoado, não se perdoara ao longo do tempo. Cobrava-se intimamente, inconscientemente. O passado rompia a proteção benfazeja do tempo e ressuscitava. As reuniões mediúnicas foram uma espécie de psicoterapia espiritual, só que ele também estava sendo tratado, e não apenas o perseguidor, que, afinal, se mostrou o perseguido. Quanto a este, tinha se libertado da situação, aprendera a perdoar. E Erasmino? Será que se perdoaria?

Para isso, a doutrina espírita oferecia imensos recursos. É uma doutrina de otimismo, uma doutrina que, além de ofertar oportunidades e possibilidades imensas, esclarece quanto a determinados problemas do destino, da vida e do sofrimento. Traz muitas respostas para as dúvidas humanas e proporciona ilimitados métodos de refazimento, pela dignificação da vida, pela valorização das experiências, pela expansão da consciência espiritual. Dependia de Erasmino qual atitude tomar ante os acontecimentos. Precisava refletir intensamente.

CAPÍTULO 14

As estrelas de Aruanda

Paulo entrou em cena novamente, convidando-o para ir a uma reunião mediúnica na qual teriam a oportunidade de ouvir a palavra de elevado mentor da Vida Maior, que lhes falaria, no dia seguinte, na sede da casa espírita. Depois de muito relutar, Erasmino cedeu ao convite de Paulo, e, no outro dia, partiam rumo ao centro. Após alguns meses afastado das atividades, Erasmino foi recebido com muita alegria e afeto por parte dos trabalhadores da casa. Todos confraternizaram com ele. Estava mudado. Muito mudado. Mais manso, mais humilde e pensativo; perdera aquele porte altivo e abatera-se intimamente. Agora, mostrava-se mais comedido em suas palavras, em seus posicionamentos pessoais.

Levara consigo a mãe querida, que sempre estava ali presente para auxiliá-lo como e quando necessitasse. Quando ia iniciar a reunião mediúnica, pediu a ela que esperasse do lado de fora até que terminasse, pois a reunião era fechada, e sua mãe não participava das atividades da casa; portanto, não poderia entrar. Ela ficou num banco na recepção e não se importou com a situação. Permaneceu em prece ao seu Pai Maior, pedindo pelo filho amado.

Minutos depois, a porta se abriu, e ela foi chamada a entrar. Assustou-se com o chamado, mas entrou e foi conduzida a uma cadeira ao lado do filho. Um espírito se manifestara à vidência de um dos médiuns da casa e pedira que a chamassem.

Leram uma página de *O Evangelho segundo o espiritismo*. Depois de alguns comentários, fizeram as preces e colocaram-se todos à disposição da espiritualidade amiga. Ouviram as mensagens esclarecedoras do mentor da casa e de vários outros companheiros, e, a seguir, o próprio mentor falou:

– Estamos hoje recebendo a visita de elevada entidade do Plano Superior. Dentro das possibilidades, teremos sua palavra amiga; gostaríamos que todos a gravassem na intimidade de seus corações.

Preparando-se para a visita sublime, todos se irmanaram nas vibrações, para propiciar clima psíquico adequado para o visitante.

O ambiente extrafísico estava envolvido em suave luminosidade azulínea com reflexos dourados, e fluidos balsamizantes caíam sobre todos, emocionando-os com as vibrações amorosas. Erasmino sentiu a aproximação da entidade elevada e entregou-se às suas irradiações dulcíssimas. Reconhecia que era o mesmo espírito que se manifestava num médium da casa ao findar das reuniões de desobsessão que ele dirigira antes. A elevação do ambiente era perceptível a todos. A suavidade da entidade levou os médiuns a tal estado de elevação da consciência que eles se sentiram realmente em estado de êxtase. Todos esperavam que a entidade se manifestasse através do médium que recebia as orientações do mentor da casa. Os médiuns videntes puderam vislumbrar réstias de luz do espírito comunicante. Mas a entidade superior passou pelo médium que julgavam o mais adequado para a comunicação e dirigiu-se para perto de Erasmino. Mas, afinal, ele nunca dera passividade. Não poderia ser ele.

Envolvido em intensa luz, Erasmino deixou-se ficar sob a proteção do visitante das esferas mais altas. Todo o ambiente estava preparado; os médiuns e o dirigente da mesa mantinham a vibração em harmonia.

Leve tremor percorreu o corpo de Erasmino, e seu semblante foi aos poucos modificando-se com o envolvimento espiritual. Perdeu a consciência de si mesmo e foi transportado em desdobramento a uma região belíssima do Plano Superior.

Era uma cidade de flores. Rios e cachoeiras estavam convivendo perfeitamente com as construções singelas, enfeitadas por trepadeiras e flores perfumosas. Era um vale profundo, rodeado de montanhas altaneiras e verdejantes. O ar trazia o perfume de rosas e alfazemas, balsamizando o ambiente espiritual, que estava cintilando com os reflexos de formoso arco-íris, que enfeitava o céu, de um azul intenso. Tudo era harmonia. Tudo era belo.

As construções pareciam haver sido estruturadas em material semelhante a cristal. E cachoeiras e rios e lagos pareciam refletir a beleza do Éden. Mas não era o Éden. Crianças de todos as aparências corriam pelo vale em alegria indizível. Espíritos operosos pareciam se ocupar com atividades as mais diversas, e caravanas chegavam e partiam em direção à Crosta, levando bálsamo e consolo, lenitivo e esperança.

Alheio ao que se passava na reunião mediúnica, Erasmino deixou-se envolver naquele clima superior de imensa beleza e paz. Afinal, era seu primeiro desdobramento inteiramente consciente. Queria aproveitar e retemperar-se nos fluidos balsamizantes da colônia de espíritos bondosos. Aproximou-se dele um espírito de uma mulher de feições belíssimas e de cor negra.

Uma aura suave a envolvia. Erasmino perguntou-lhe:

– Minha irmã, por favor, poderia me dizer onde me encontro? Em que região paradisíaca estamos? Porventura, é alguma região de Nosso Lar?

O espírito sorriu-lhe e, na alegria que lhe era peculiar, disse-lhe:

– O *nosso lar*, meu filho, é tudo isso aqui, onde Deus nos abençoa com o seu amor e com o trabalho do bem. Você veio visitar-nos; queremos que seja bem-vindo e se sinta em casa. Este é o lar de nossos antigos afetos. Você está em Aruanda, a terra do infinito.

Na Terra, no ambiente da reunião mediúnica, ninguém desconfiava do desdobramento de Erasmino. Ao cabo de alguns segundos após o envolvimento de intensa espiritualidade, a entidade superior acionou as cordas vocais do médium Erasmino e falou com a simplicidade dos grandes espíritos:

– Deus seja louvado, meus filhos! Saravá os filhos da umbanda, saravá os trabalhadores do nosso pai Oxalá...

Vovó Catarina, a nossa querida Euzália, agora falava por intermédio de Erasmino. Para espanto de todos, a preta-velha deu a maior lição de moral que todos haviam escutado naqueles anos todos de atividades mediúnicas numa casa de orientação kardecista. Na singeleza de sua linguagem, deu seu recado, enquanto Erasmino-espírito estava retemperando-se em meio às estrelas, nos céus de Aruanda.

A partir daquele dia, contou aquele agrupamento com o apoio de mais uma mensageira do Senhor. Embora alguns achassem diferente seu palavreado, numa coisa todos concordavam: sempre que as coisas estavam difíceis, sempre que precisavam, a bondosa entidade, desafiando as pretensões de muitos que se julgavam os donos da verdade, estava ali, pronta para auxiliar, disposta a servir em nome do eterno bem.

Erasmino, agora de volta às atividades, recebia com carinho as vibrações da elevada companheira espiritual, enquanto permanecia atento, estudando e defendendo os princípios espíritas, conforme codificados pelo insigne mestre Allan Kardec. Mas não ignorava o que ouvia na acústica de sua alma, o hino que lhe repercutia no espírito:

Vovô não quer
Casca de coco no terreiro,
Só pra não se alembrar
Dos tempos do cativeiro.

Era o cântico dos antigos escravos com os toques cadenciados dos tambores de Angola.

CAPÍTULO 15

Dança das luzes

Após as atividades a que eu me dediquei, guardava na alma os ensinamentos simples daquelas almas elevadas. Não existia em minha alma nenhum resquício de preconceito. Aprendi que, no trabalho do bem, ninguém detém a verdade absoluta e para tudo existe uma explicação.

As atividades dos nossos irmãos que se apresentam como pretos-velhos, caboclos ou sob outras formas perispirituais devem ser analisadas com mais carinho. Sua roupagem fluídica pouco importa diante dos fatores morais. Aprendi que, mesmo me afinando com as tarefas realizadas num centro de orientação espírita, não poderia desprezar aqueles irmãos que tinham tarefas em outros campos espirituais.

Meditava a respeito dessas questões quando meu mentor aproximou-se de mim, falando:

– Ângelo, acredito que agora você esteja apto a estudar com maior clareza outras manifestações da religiosidade do nosso povo. As lições de fraternidade estão firmes em seu espírito.

– Agora eu sei que no universo nada é absolutamente igual. Podemos estar a serviço do Pai, mas podemos também estar trabalhando de formas diferentes, em departamentos diferentes, mas levando a mesma bandeira: o amor e a caridade, com respeito por aqueles que não pensam como nós, mas trabalham para o mesmo Senhor.

A noite estava radiante quando a observávamos de nossa colônia espiritual. Éramos felizes por participarmos de todas essas oportunidades que a bondade de Deus nos concedia. As estrelas salpicavam o céu, convidando-nos a refletir sobre as lições da vida.

Um cometa rasgava o espaço em direção a outras regiões do infinito.

– Veja, Ângelo, acompanhe a rota deste cometa – falou o bondoso mentor.

– Creio que, mesmo para um desencarnado em minhas condições, seja difícil acompanhar por muito tempo o roteiro de luz da natureza. Minha visão espiritual já está um tanto dilatada, mas mesmo assim...

– Vamos, Ângelo, volitemos em direção à luz – convidou-me o companheiro espiritual.

Tomando-me pela mão, ele conduziu-me a regiões

mais elevadas que a nossa, acompanhando o rastro luminoso do cometa, que agora se apresentava aos nossos olhos espirituais como uma estrela de intensa luminosidade. Fomos subindo, subindo, até que eu não podia mais acompanhar meu amigo espiritual rumo a esferas mais sutis, superiores. A estrela ascendia cada vez mais, e agora eu só poderia prosseguir com o impulso mental do meu mentor.

As regiões espirituais que agora eu estava observando eram totalmente diferentes do nosso plano. Parecia que uma música suave irradiava de todas as direções. Indizível alegria se apossava de meu espírito. Não compreendia como um simples cometa ou uma simples estrela poderia atravessar as barreiras das dimensões e se dirigir para as alturas vibracionais.

Agora não podíamos acompanhar mais seu rastro. Paramos nossa volitação em um posto dos planos mais elevados nas regiões espirituais. O mentor apontava-me a direção em que o cometa rasgava o espaço espiritual, dirigindo-se a outras dimensões.

– Daqui não podemos passar, meu amigo Ângelo. Entretanto, acompanharemos o percurso luminoso desse astro errante da espiritualidade.

– Quer dizer então que não é um simples cometa que estamos observando? – perguntei, num misto de espanto e curiosidade.

– Sim, meu filho, é um cometa, um astro, uma estrela ou como você quiser denominar. Não importa a forma como descrevemos. É uma luz que não podemos mais acompanhar com nossos próprios recursos. Já estamos muito distantes vibratoriamente de nossa colônia espiritual e não detemos ainda possibilidades de escalar outros planos mais sutis. Resta-nos observar, de longe, a chuva de estrelas.

Calei-me sem entender o que o companheiro espiritual estava querendo dizer. Se ele, que era mais elevado, não conseguia ir além, quem diria eu, espírito muito endividado, que me fazia de repórter do Além, escrevendo para o correio dos mortais.

– Observe, Ângelo – falou, apontando na direção da luz astral do cometa, que, àquela altura, irradiava diversas cores.

Outras luzes vinham ao encontro daquela que observávamos. Parecia que vários cometas faziam uma dança sideral, um em torno do outro. Eram luzes irmãs da luz que nós acompanhávamos.

– Afinal, qual é o significado de tais luzes, com tamanha beleza? – perguntei.

– É a luz astral de um dos pretos-velhos que tão bondosamente nos atendeu durante a nossa jornada na tenda umbandista. Não podemos segui-lo mais. Sua vibração ultrapassa a nossa e vai além de nossas possibilidades. É a luz da simplicidade, do amor e da fraternidade, sentimentos dos quais somos ainda meros aprendizes. Outras entidades elevadas, como ele mesmo, o recebem, e, em nossa visão espiritual um tanto ainda deficiente, só os percebemos como luzes. Não podemos ainda percebê-los como são verdadeiramente. Por isso, uma dessas luzes espirituais assumiu a forma fluídica de um preto-velho. Somente assim poderíamos percebê-la. Agora, no entanto, está retornando à sua esfera irradiante, para, talvez, assumir outra missão, em nome do eterno bem.

Só agora eu tinha uma noção a respeito das entidades espirituais que assumem certas tarefas em outros planos da vida. Faltava-me ainda muita experiência para compreender os planos de Deus para os seus filhos.

Retornamos à nossa colônia espiritual com a lembrança das esferas superiores, agradecendo, em nossas preces, pela oportunidade que Deus nos havia concedido de conviver, por algum tempo, com as luzes de Aruanda.

CAPÍTULO 16

Encontro de almas

Quatro anos se passaram desde os últimos acontecimentos. Erasmino recebeu uma proposta de se mudar para uma cidade na região Sul do Brasil. Toda a situação enfrentada por ele há alguns anos parecia haver sido contornada; não obstante, não imaginava que um novo processo teria início em sua vida. Ainda na cidade de São Paulo, resolveu aceitar o convite de um amigo de infância para se encontrarem em determinado local. Era um bar e restaurante numa das avenidas mais concorridas da cidade, onde poderiam ficar à vontade e colocar a conversa em dia. Naquele horário, no fim da tarde, as pessoas se reuniam ali, porém o local ainda não estava cheio a ponto de atrapalhar a conversa de ambos.

– Erasmino, como você mudou nos últimos anos! – falava Evandro para o grande amigo que há muito não via. – Demorei um bom tempo até achar alguém que tivesse seu telefone.

– Pois é, amigão! Sabe, minha vida deu uma reviravolta nesse tempo. Até psiquiatra eu procurei, acreditando que estivesse louco. Felizmente, tudo passou.

– Psiquiatra? Me conte sobre isso! Você está bem? Precisa de ajuda?

– Fique tranquilo! Tudo está bem agora. Ao contrário do que eu imaginava, não tinha nada a ver com loucura nem doença mental.

– Mas descobriu o que o incomodava, afinal?

– Claro, claro! E você nem iria acreditar...

– Então me surpreenda!

– Era coisa de espírito mesmo. Obsessor dos bravos...

– Não me diga que você se envolveu com coisas como espiritismo?

– Não exatamente assim, mas, de alguma maneira, tive de buscar ajuda.

Respirando fundo, como quem se recordava do passado conturbado, Erasmino continuou, após breve pausa:

– Não tive saída. Apesar de todas as minhas reservas, tive de procurar a umbanda, um jeito diferente de se praticar o espiritismo.

– Hummm... – ouvia o amigo, interessado no relato de Erasmino.

– Procurei diversas alternativas, contudo, foi numa

casa de umbanda que consegui me livrar do problema. E olhe que resisti por todos os meios; você me conhece...

– Eh, o velho amigo que se diz racional, cartesiano e, sobretudo, cético...

– Não mais, meu amigo; não mais. Pelo menos não depois das coisas que vivi.

Um silêncio se fez entre ambos enquanto tomavam um gole do chope no local, onde, anos antes, frequentavam costumeiramente.

– Você nem imagina como foi difícil para mim romper o preconceito, mas principalmente romper com determinada mentalidade, com paradigmas que eu defendi por muitos anos. Não que agora eu permaneça envolvido com a umbanda ou cultos semelhantes...

– O velho preconceito de novo?

– Não, não me entenda mal, amigo. Já não vejo essas coisas com desdém, definitivamente. Pelo contrário! Respeito, admiro e sei que existe muita coisa boa por aí. Sou muito grato por tudo que lá recebi; apenas não me afino com o estilo de trabalho da umbanda. Só isso!

– Sabe o que eu penso, Erasmino? Apesar de havermos nos encontrado depois desses anos todos, acredito, pelo que você me diz, que você, ainda assim, tem mesmo um pé na senzala.

– Como assim? Você fala como se tivesse conhecimento de causa. Por acaso conhece a umbanda ou algo do tipo?

Evandro fugiu à resposta direta, imprimindo novo tom à conversa:

– Veja só nós dois! Velhos amigos, passados mais de cinco anos sem nos vermos, a vida nos reúne novamente, e cá estamos a discutir sobre religião e mistérios sagrados – disse com certo ar de surpresa, talvez para descontrair.

– Eh... Você me perguntou como eu estava, e acabamos falando sobre isso mesmo. Sabe que ainda hoje me pego pensando em muitas coisas que vi e ouvi e nas experiências vividas naqueles tempos? São quatro anos desde que me vi liberado das questões complicadas daquela época... No fim das contas, acho que eu queria compartilhar essas experiências. Mas agora me questiono: será que falo disso apenas para compartilhar mesmo, para que se atualize, ou pode ser que eu ainda esteja mal-resolvido quanto às questões de ordem espiritual?

– Se você se sente bem me contando questões tão pessoais e importantes, continue! Eu me interesso pelo tema. Brinquei apenas para acentuar que, em outras circunstâncias, estaríamos aqui falando de mulheres, dinheiro ou política. A vida e as experiências nos fazem mudar radicalmente o foco de nossa atenção, não é verdade? A mim me agrada falar sobre questões espirituais, ainda mais sabendo que para você isso também é importante.

– Sabe o que é, Evandro? Eu me identifiquei mais com a forma do espiritismo dito kardecista de praticar a espiritualidade, vamos assim dizer, do que com o formato da umbanda, embora eu seja muito agradecido por tudo que lá recebi. Apesar disso, sinceramente, parece que há certo vazio dentro de mim. É como se eu estivesse o tempo todo sendo puxado para lá, para o terreiro onde fui recebido. Sonhos, pensamentos e mais coisas parecem me remeter com insistência ao ambiente onde fui ajudado. De fato, luto intimamente contra isso, constantemente. Vou ao centro pelo menos uma vez por mês, tomo passes, mas não gostaria mesmo de me envolver mais do que isso. Você sabe, não é, amigo? São muitos desafios no mundo: nossa vida atribulada com trabalho, família e tudo o mais. Não sei se eu teria tempo para um envolvimento tão intenso assim.

– Se me permite, Erasmino... Não quero interferir em suas decisões, mas convém pensar um pouco mais detidamente no assunto. Não acredito que a vida tenha encaminhado você para as questões espirituais por acaso...

– Como assim? Acha que alguma coisa pior poderia ter acontecido comigo?

– Na verdade, tanto você quanto eu, amigo, precisávamos de um freio para certas questões nas quais estávamos envolvidos. Lembra nossas experiências com drogas, os encontros e as orgias? Estávamos, aos poucos, entrando naquele mundo louco, ou melhor, no submundo.

– Mas eu nunca mais frequentei ambientes assim e me livrei completamente das drogas... Além do mais, acredito que tudo aquilo foram etapas que todo mundo vive, que qualquer jovem atravessa em algum momento. Nada de muito grave, pois, no meu caso, parei com tudo isso há muito tempo.

– Aposto que o "muito tempo" corresponde à mesma época em que você se envolveu com a umbanda e as questões espirituais.

– Isso mesmo! Algo assim.

– Pois é, amigo. No meu caso, também ocorreu algo semelhante.

– Você procurou a vida espiritual também? Se envolveu com a umbanda?

– Digamos que eu fui absorvido por uma vertente da vida espiritual ligada ao povo do santo.

– Como assim, *povo do santo*? Não é a mesma coisa que umbanda?

– Não exatamente, embora nossas raízes possam ser confundidas em algum momento. Veja o que ocorreu.

Erasmino, agora, era quem se mostrava interessado na história de Evandro, dedicando especial atenção ao amigo.

– De um momento para outro, me vi tão envolvido com as orgias e com tantas mulheres que nunca imaginei perceber qualquer influência espiritual. Nem havia como, naquele estado em que me encontrava. Até que caí doente. Não creio que foram apenas as festas, o envolvimento com o submundo do sexo, mas, acima de tudo, porque me envolvia cada vez mais com drogas. Para despistar meu envolvimento com elas, ou quem sabe justificá-lo, busquei uma religião que usava chás, beberagens e outros recursos para induzir a uma espécie de transe. Como eu era usuário de drogas, isso acabou por acentuar meu desequilíbrio. Confesso que ainda hoje não me sinto livre, por inteiro, de tudo isso, mas estou vivendo a cada dia o seu desafio, ou melhor, o meu desafio pessoal.

– Como recomendam os alcoólicos anônimos – falou Erasmino para o amigo.

– Algo parecido. Só que eu lido com a pressão espiritual o tempo inteiro. Olhe, amigo, realmente não acredito que tenhamos nos cruzado de novo, depois de todos esses anos, por mero acaso.

– Agora que você fala disso, da sua experiência, também não acredito. Pelo menos não me envolvi mais com drogas nem com festinhas daquelas tão comuns à nossa antiga turma.

– Nem imagina como ainda me sinto ligado a tudo isso. Porém sou obstinado. Mesmo me sentindo arrastado e recebendo convites com alguma insistência e até regularidade, não volto atrás. Preciso refazer minha caminhada, minha vida, a qualquer custo. Em suma, vou continuar a história para você ter uma ideia do que me ocorreu.

Os dois se olharam, ambos intrigados com o modo como suas histórias de vida pareciam se cruzar. Após todos aqueles anos, ambos se reencontraram. Sem nenhuma espécie de programação, o assunto *vida espiritual* viera à tona assim, de maneira espontânea, e os caminhos percorridos pelos dois se mostravam tão semelhantes.

– Foram tão sérios os problemas com os quais me envolvi, afetando minha saúde física e psicológica –

por pouco não houve prejuízo mental –, que tive de ser socorrido e fui internado por três vezes, em estado grave. Na última vez, quando fui atendido num hospital de emergências, um dos enfermeiros me procurou para conversar mais seriamente. Foi incrível; parecia que ele sabia minha vida de trás para frente.

– Era uma espécie de médium?

– Hoje sei que sim, mas não médium no sentido como talvez a umbanda e o espiritismo vejam. Fato é que ele me procurou num momento em que eu estava sozinho no quarto do hospital e, notando que eu estava lúcido, com certa gravidade me recomendou procurar apoio espiritual urgentemente. Havia algo de muito sério acontecendo comigo, disse.

– Bem, isso devia ser evidente para quem estava internado em seu estado. Até aí, ele não falou nada digno de nota.

– Mas não parou por aí, meu caro, e isso ficou profundamente marcado em minha vida. Ele me disse que havia algo de espiritual muito grave comigo. Falou-me de coisas que eu não entendia racionalmente naquele momento, mas sabia que era tudo verdade; que havia algo mais por trás das ocorrências. Falou de magia negra.

– Alguém fez feitiço para você? Foi isso que ele

quis dizer? – indagou Erasmino.

– No princípio pensei que fosse isso, mas ele me explicou. Era um tipo de magia diferente. Disse que no passado, em outra vida, fiz parte de um tipo de sociedade ou organização de pessoas voltadas para experimentos com magia, invocações de forças ocultas, numa época medieval. Então, como consegui reencarnar por influência de um amigo espiritual, libertando-me desse grupo, que continuou no astral, no mundo dos espíritos, seus integrantes procuravam se vingar. Queriam a todo custo me reaver, me aprisionar. Consideravam que eu fosse uma espécie de desertor, infiel ao compromisso e aos votos assumidos diante do grupo.

– Puxa, de onde esse cara tirou tudo isso? Nunca ouvi falar de algo assim, nem mesmo na umbanda...

– Pois é, meu amigo, e ele me disse ainda mais coisas. Afirmou que esse grupo de espíritos tentava fazer experiências comigo, pois até então eles faziam experiências apenas com os chamados desencarnados, mas, agora que eu os havia abandonado e reencarnado, iam me usar em experiências semelhantes àquelas que eu fazia quando ainda estava entre eles. De alguma maneira, isso fez sentido para mim, embora eu não entendesse nada de espíritos naquela época. Fato é que fez sentido, e as revelações calaram fundo em minha alma; foi como se um peso enorme caísse de meus ombros e eu acordasse. Ele não pôde falar muito mais do que isso naquele momento, pois estava na hora da mudança de turno. Por isso, me deixou um cartão, pois trabalhava, fora dali, como auxiliar de enfermagem em domicílio.

"Deixei dois meses se passarem depois que tudo isso ocorreu, até que um dia amanheci molhado de suor, após uma noite intensa de pesadelos. Acordei apavorado. Procurei por todo lugar o cartão do enfermeiro. Não o encontrando, lembrava apenas o nome dele, então, retornei ao hospital; desta vez, para procurar por ele pessoalmente. Fiquei de plantão na portaria por vários dias e em vários horários. Até que um dia eu estava cochilando na recepção do hospital, de tão cansado que estava e, também, exausto pelos pesadelos constantes, quando me encontrei com ele. O rapaz não me falou nada, mesmo me tocando para eu acordar. Fixou o olhar sobre mim e, depois de certo silêncio, me pediu que o procurasse em determinado local ao fim do expediente. Meu olhar se deteve nele, pedindo socorro. Ele então me falou, entregando um bilhete com um nome e um número de telefone: 'Não espere por mim. Ligue já para esta pessoa e diga que fui eu que pedi para você ligar'.

"Saí feito doido dali e da rua mesmo resolvi ligar. Era um número da Bahia. A pessoa que me atendeu era um praticante do candomblé, de uma roça das mais tradicionais de Salvador. E o que ouvi, sem mesmo falar do meu caso, me impressionou muito. Tudo fazia sentido, e eu precisava me libertar daquelas questões espirituais."

– E aí? Você procurou o enfermeiro novamente?

– Claro que sim. Eu me segurei em toda ajuda que pudesse encontrar pelo caminho. Estava apavorado.

– E a pessoa de Salvador?

– Era uma espécie de pai de santo do enfermeiro. Quando me reencontrei com o rapaz do hospital, tudo fez ainda mais sentido para mim. Depois de muito conversar, ele fez um trabalho para mim. Algo simples, nada muito mirabolante. Recebi o benefício de algo que se chama *sacudimento com ervas*. Nem imagina como isso me ajudou. Na mesma noite em que foi feita a limpeza em mim, dormi como não dormia há tempos. A partir daí, procurei ir a Salvador. Foi lá que tudo aconteceu, que fui realmente acolhido e esclarecido. Além do mais, a pessoa que me atendeu foi tão honesta comigo que, após me auxiliar, aconselhou que eu procurasse fazer uma consulta de apometria – ilustre desconhecida para mim na época –, pois era algo que fugia à sua especialidade.

– Apometria? Parece que já ouvi falar disso no centro kardecista aonde vou todo mês... Mas sinceramente não sei o que é. Me lembro apenas do termo, que citaram sem maiores explicações; nem do contexto me recordo.

– É um tipo de tratamento intensivo e que pode ser muito eficaz. Sei que a maioria dos problemas se resolveu lá, na roça do candomblé baiano, à qual até hoje permaneço ligado. O homem que me atendeu jogou búzios para mim e me esclareceu certas questões nas quais jamais havia pensado. Senti um enorme alívio. Hoje, amigo, não me considero curado, mas em fase de reajuste. Me trato a cada seis ou oito meses num grupo de apometria e, religiosamente, a cada seis meses, vou a Salvador para certos compromissos que assumi perante os orixás cultuados na casa que me acolheu.

Erasmino deu um suspiro profundo, como que liberando o excesso de informações. Depois de tomar um gole do chope, que já havia esquentado, pediu outro e, em seguida, comentou com o amigo:

– Nossos caminhos realmente não se cruzaram por acaso, caro amigo. Não mesmo!

– Também acho, amigão. Principalmente depois do que você me contou sobre suas experiências, fazendo uma ponte com o que ocorreu comigo, tenho a mais absoluta certeza de que alcançamos um livramento. Ambos fomos socorridos mais ou menos à mesma época.

– É como se alguém entre os espíritos velasse por nós dois... Não quero mais perder contato. Precisamos conversar mais.

A mente de Erasmino parecia fervilhar de ideias, estabelecendo conexões e chegando a conclusões que, sozinho, talvez demorasse muito a alcançar.

Do outro lado da vida, elementos do mundo oculto observavam, interessados nos dois amigos. Energias sutis os envolviam ali mesmo, naquele bar localizado na Avenida Paulista esquina com Alameda Casa Branca. Pairando sobre as árvores do Parque Trianon, comentavam dois espíritos:

– Nosso Erasmino finalmente fez as devidas conexões, Vovó Catarina...

– Este é outro momento em sua vida, meu amigo. Devemos amparar, mas sem constranger nosso filho. Ele precisa de tranquilidade para fazer desabrocharem em si próprio as intuições que o levarão ao encontro de sua tarefa espiritual.

A dupla de pais-velhos velava pelos filhos, que finalmente se reuniam, pois que havia inspirado o encontro tanto quanto os rumos da conversa de ambos.

Certo silêncio se fez depois da exposição de Evandro. Tão logo Erasmino desviou o olhar do amigo, fixando-o em algo que o incomodava no outro lado da rua – mais precisamente no vão do Museu de Arte de São Paulo, o Masp –, pôde distinguir um vulto, na verdade, um ser voando de cima do museu para o Parque Trianon, como uma espécie de índio. A visão foi rápida e celeremente, assim como havia sido percebida, se dissipou. Erasmino arrepiou-se todo. Estremeceu de tal modo que Evandro percebeu que algo se passava.

– Aconteceu alguma coisa, amigo?

– Vamos pedir a conta, Evandro. Acho que temos de sair daqui – esquivou-se, sem mencionar a percepção. Temia que estivesse em curso algo semelhante à tormenta de anos antes. Queria sair dali o mais rápido possível.

– Que tal procurarmos um local mais tranquilo? Parece que agora o bar encheu e não dá mais para conversarmos.

– Ótimo! Vamos sair, sim.

Levantou-se no ato, sem sequer esperar o garçom, e dirigiu-se diretamente ao caixa para pagar a conta. Certo medo emergia de dentro dele. Medo de algo que, no fundo, sabia o que era, mas não queria admitir. Em instantes os dois saíram dali, à procura de um local mais quieto enquanto caminhavam pela Avenida Paulista, em meio à multidão. Erasmino vez ou outra olhava de soslaio, como que sondando algo, com medo, mas também com certa curiosidade. Medo de si mesmo, de algo que ainda não revelara para o amigo Evandro e que lhe ocorria na atualidade.

CAPÍTULO 17

Filho de santo não tem querer

Erasmino conversava com o amigo muito apreensivamente. De alguma maneira, temia que os problemas enfrentados por ele no passado pudessem vir à tona outra vez. Lembrava-se de D. Niquita, sua mãe, e da vizinha Ione, além das conversas que tivera com Vovó Catarina e Pai Damião. Não desejava reviver os problemas enfrentados anos antes. Quase enlouquecera, afinal. Explicara tudo isso ao amigo, colocando-o a par das ocorrências que o levaram a procurar uma tenda de umbanda.

– Diga uma coisa, Erasmino – pediu Evandro ao amigo preocupado. – Fale mais a respeito do que ocorre agora com você. Não das visões que tinha no passado, mas das atuais. Qual o conteúdo dessas visões ou do que você ouve? São semelhantes ao que ocorria quatro anos atrás?

Pensando um pouco à medida que caminhavam, Erasmino fazia suas reflexões, de maneira a estabelecer um ponto comum entre as ocorrências havidas nas diferentes épocas.

– Hoje as coisas parecem diferentes, sobretudo mais suaves do que na época em que quase fiquei louco. Vejo vultos; outras vezes, percebo formas humanas perfeitamente nítidas, que logo se desvanecem em meio ao povo ou, segundo interpreto, sobem como vapor assim que desvanecem. Ouço murmúrios a me chamar, mas não com uma conotação ruim, embora o meu medo. É como se algum amigo estivesse me chamando, mas, quando olho em torno, os sons se esvaem.

– Então não vejo por que se preocupar!

– Mas você não entende, Evandro. Não é fácil interpretar tudo isso de maneira natural, depois de vivenciar tantas coisas, fazer uso de medicamentos e passar por todo o tormento em que me vi metido.

– Sei disso, amigo, mas veja bem: você mesmo disse que não se dá nada de ruim, de estranho ou mau que minimamente indicasse a ação de obsessores, como se diz no espiritismo. Além do mais, você também está sendo medicado por meio de passes, conforme me falou antes...

– Sim, é verdade. E no centro que eu frequento – por assim dizer, pois não vou lá semanalmente, mas mensalmente –, por três vezes já me falaram que eu teria de ponderar a respeito do tema mediunidade. Não me disseram nada que justificasse desenvolver ou procurar trabalhar nesse ramo, mas, sinceramente, eu não tenho condições sequer de pensar nisso.

– Não sei, não. Para mim, tudo leva a crer que aquilo que você viveu no passado, na época em que teve de ser socorrido no centro de umbanda, foi apenas uma prévia do que o futuro lhe reserva.

– Acha que ficarei louco de vez? Pela sua experiência, acredita que devo procurar um psiquiatra ou um novo tratamento espiritual?

Evandro riu um pouco da ingenuidade e do medo do amigo Erasmino enquanto se dirigiam a uma rua próxima da Avenida Paulista, um local mais tranquilo e com uma música menos estridente, frequentado por outro tipo de pessoas, mais calmas. Era muito elegante, por sinal. Após se sentarem e pedirem uma água mineral, de início, antes mesmo de verem a carta de bebidas, Evandro retomou a conversa:

– Nem pense em loucura, meu caro. Nem pense nisso. Sinto lhe informar, de maneira muito mais... digamos, persuasiva do que no centro aonde vai – pois você é um visitante, e não um frequentador –, que você é médium e não há como correr disso.

– Médium? Quer dizer, desses que encarnam os espíritos, que incorporam e coisa e tal?

Evandro deu uma gargalhada diante da observação do companheiro, assustado com a possibilidade de ser um emissário dos espíritos.

– Médium, sim, mas se é de incorporar, isso não sei dizer. Veja bem – falava sério, então –, analise sua trajetória de fenômenos. Não disse que antes via espíritos que nitidamente se manifestavam como sendo do mal, ao passo que, hoje, começa a perceber outro tipo de entidade?

– Não tem nada a ver!... De todo modo, são espíritos, a menos que eu esteja adentrando um surto psicótico.

– Sim, são espíritos, de fato, mas a natureza dos atuais amigos invisíveis é diferente. Onde frequento, em Salvador, diriam que são *eguns*. Mas deixemos de lado a interpretação do culto com que me afino e sua forma de praticar a espiritualidade. No seu caso, que é kardecista ou coisa semelhante, é nítida a interferência de entidades mais suaves, mais sutis e nada insistentes, como seriam se quisessem prejudicá-lo. Não é isso mesmo?

Erasmino lia displicentemente e um tanto nervosamente a carta de bebidas, escolhendo um *drink*, enquanto ouvia o amigo.

– É, nesse caso tenho de concordar com você. Ali mesmo onde estávamos, perto do Masp, eu vi um espírito sobrevoar a avenida, com a aparência de um índio, um tipo de índio muito parecido com os peles-vermelhas norte-americanos. Mas ele não olhava para mim. Parecia que nem queria chamar minha atenção. Era como se eu mesmo o tivesse surpreendido, o visto sem que ele próprio quisesse.

– E você sentiu algo de ruim nisso?

– Não, absolutamente! Fiquei apenas com medo, porque isso tem ocorrido vez ou outra e, eu diria, até com alguma frequência.

– Por isso, meu caro Erasmino, tenho de continuar informando que você está em pleno desenvolvimento de suas faculdades mediúnicas, sem o saber, sem mesmo frequentar alguma reunião de desenvolvimento. Ou seja, você é médium, só que ainda não desenvolvido, pelo menos não plenamente.

– E como você sabe disso tudo? Aonde você vai, em Salvador, ensinam sobre mediunidade? Pois aonde vou mensalmente nunca ouvi ninguém me explicar em detalhes sobre o assunto...

– Muito provavelmente porque só vá a reuniões em que não abordam esse tema. Quem sabe você mesmo não esteja fugindo, sem admitir, de se enfrentar e conhecer ou se aprofundar?...

– Mas eu lhe disse que não tenho tempo, que tenho meu trabalho e, agora mesmo, tenho grande chance de me mudar de estado, por causa da carreira.

– Certa vez ouvi uma frase: "Quem quer sempre arranja um jeito; quem não quer sempre encontra uma desculpa".

Os dois ficaram um pouco em silêncio enquanto olhavam a carta e, escolhidas as bebidas, pediram-nas ao garçom.

– Olhe, amigo, sobre Salvador, conforme me perguntou, vou a cada seis meses e fico lá alguns dias, o suficiente para me informar. Além disso, tenho lido algumas coisas sobre mediunidade, pois me interesso bastante. Tenho buscado informações preciosas sobre esse e outros temas, sobretudo em livros que me esclarecem, até porque não moro em Salvador. Aquele enfermeiro benfeitor que virou amigo trabalha no Hospital Nove de Julho e tem me auxiliado muito, além de emprestar e indicar livros sobre diversos temas relacionados à espiritualidade. Aconselho que comece a estudar também.

– Mas eu...

– Desculpe, Erasmino. Esqueci... Você não tem tempo, não é mesmo?

Erasmino engoliu em seco, mas compreendeu o comentário do amigo. Depois de certo silêncio, resolveram mudar de assunto e curtir um pouco o lugar, paquerando algumas meninas que não podiam passar despercebidas por eles. Tudo se passava na mais perfeita normalidade, até que, umas três horas depois, quando Erasmino se levantava para deixar o salão, sentiu uma espécie de vertigem. Um tremor percorreu-lhe todo o corpo. Evandro não notou, pois tinha os olhos completamente fixos em uma mesa onde conversavam três garotas sorridentes e muito belas. Erasmino titubeou por um momento, pensando se deveria continuar seu percurso até o lavabo ou ficar sentado ali com o amigo. Também não associou o fenômeno a algo espiritual, até porque sua atenção e seus comentários haviam se desviado do tópico espiritualidade e estavam voltados a outros interesses bem mundanos. Deduziu que era apenas o resultado de alguns *drinks* e do ambiente festivo do local, que era bem frequentado pelos dois lados da vida. Afinal, resolveu seguir o impulso assim mesmo e dirigiu-se ao banheiro, que estava ocupado. Decidiu esperar um pouco, enquanto olhava o salão bem-decorado e as pessoas de fato elegantes que frequentavam aquela casa. Um senhor aproximou-se, dando a impressão de que também aguardaria para usar o toalete. Erasmino olhou-o sem comentar nada e permaneceu observando o amigo, nitidamente bem-intencionado quanto a uma das meninas sentadas na mesa ao lado. Sorriu discretamente. O homem a seu lado, àquela altura, observou:

– Esse Evandro não perde seu jeito mulherengo, não é, amigo?

Erasmino, sem ao menos estranhar o comentário do homem ao seu lado, respondeu:

– Depois de muitos anos sem o ver, continuo com a mesma impressão. Ele é mesmo um conquistador, um *don juan*.

– Mas é um bom amigo – tornou o homem.

A porta se abriu assim que o senhor fez o comentário, e Erasmino entrou no banheiro. Quando saiu, desculpou-se com o homem, que aguardava, sem notar qualquer coisa diferente. Não percebeu nada além do habitual no salão e no próprio sujeito, que fez menção de entrar no banheiro. Na verdade, Erasmino nem olhou para ele, apenas supôs. Foi em direção à mesa onde se encontrava o amigo, sentado, galanteando uma das meninas. Em meio ao percurso, pareceu tomar ciência da ocorrência de minutos antes. Como aquele senhor conhecia o nome de Evandro? Como sabia que eram amigos? Afinal, quem era aquele homem?

Antes de sentar-se à mesa, Erasmino olhou de volta na direção do toalete, quase que instintivamente, enquanto arrastava a cadeira para sentar-se. O homem permanecia lá; não entrara. Cumprimentou-o levando a mão à testa, como se batesse continência, num gesto muito comum e descontraído. Logo depois entrou pela parede, desvanecendo-se. Erasmino arrepiou-se imediatamente. Ainda enquanto se sentava, tocou o ombro direito de Evandro e disse-lhe:

– Está acontecendo de novo, amigo.

– Acontecendo o quê? – perguntou sem lhe dar atenção e sem associar o que o amigo dizia aos fenômenos relatados por ele horas antes.

Erasmino entendeu que não deveria ocupar seu amigo com aquelas questões, ao menos por ora. Estava arrepiado, porém, apesar de suar frio, soube para além de qualquer dúvida que as sensações nada tinham a ver com os *drinks* que tomara. Não se tratava de alucinação nem mesmo de efeitos de um surto psicótico. Ficou quieto, porém as coisas não pararam por aí. Em meio aos frequentadores do lugar, começou a divisar alguns vultos envolvendo certas pessoas. Fechava os olhos tentando evitar os fantasmas que lhe assomavam à visão, mas os via assim mesmo. Embora eles não fossem assustadores, o inusitado do fenômeno lhe acelerara a pulsação. Ao virar a cabeça, viu luzes em torno de dois jovens que conversavam animadamente. Pôde até perceber um vapor esbranquiçado esvoaçando sobre a cabeça de um dos atendentes do lugar.

Levantou-se de chofre, atraindo a atenção do amigo Evandro e tirando-o automaticamente da conversa, que, naquele ponto, começara a produzir frutos entre ele e uma das moças.

– Que houve, Erasmino? Ficou louco, amigo?

– Não é loucura, bem como você me disse, Evandro. As portas do inferno se abriram, e parece que os demônios saíram todos...

Evandro entendeu imediatamente a brincadeira do amigo e levantou-se também, deixando a moça a ver navios. Erasmino rumou diretamente ao caixa do lugar, para pagar a conta.

– Que se passa, homem? Veja em que situação você me deixou!

– Pode ficar aí, amigo. Quanto a mim, vou para casa imediatamente. Antes, vou apenas ligar para minha mãe. Ela poderá me ajudar, com certeza, e tem de saber o que está acontecendo com seu filho.

– Fale, amigo! Não quero deixar você sozinho. Vamos juntos. Deixe eu me desculpar e me despedir das garotas...

– Não precisa, Evandro. Fique aí, curta o momento. Estou bem, garanto.

– De forma nenhuma! Não o deixarei sozinho. Quanto às garotas, você sabe, elas sempre disputam quem ficará comigo! – disse rindo e voltou à mesa, deixando um cartão com uma das moças, com quem conversara mais animadamente.

Já na rua, Erasmino resolveu tomar um táxi em vez de pegar o metrô. Temeu que, em meio à multidão do metrô, ficasse mais vulnerável. Seu amigo o acompanhou até o ponto onde aguardaria o táxi. Em silêncio, porém com a mente fervilhando, Evandro percebeu que o amigo entrava numa fase que inspirava cuidados. Finalmente, ao menos, conseguira despertar a atenção de Erasmino para algo que, até então, ele relegara a segundo plano: sua própria mediunidade. Despediu-se dele assim que o táxi apareceu e ficou ali, ensimesmado, imaginando um jeito de auxiliar o amigo de longos anos. Porém não ignorava que jamais poderia fazer pelo amigo aquilo que ele mesmo não permitisse.

Quando Erasmino chegou ao bairro onde morava,

não muito longe de onde estivera com Evandro, seus pensamentos já haviam se dispersado. Agora habitava um edifício elegante, diferente da época em que morava com sua mãe, D. Niquita, num bairro mais pobre. Saiu do táxi já sem pensar no que ocorrera, pois se distraiu durante o percurso. Quando a porta do prédio se abriu, adentrou a portaria assobiando uma música qualquer. Assim que pisou o *hall*, porém, tudo sumiu à sua frente.

Ouviu-se um grito, um brado forte vindo da garganta de Erasmino. Ele deu um pulo, como se fosse voar ao teto do *hall* do edifício, para logo em seguida jogar-se ao chão, batendo forte no peito, bradando como um guerreiro. Ainda bem que, nesse exato momento, sua mãe descia do elevador e, ao abrir a porta, deparou-se com o filho incorporado. Foi saudada pelo caboclo:

– Salve, Tupã! – falou com voz potente e um tanto diferente da tonalidade habitual de Erasmino. D. Niquita apercebeu-se imediatamente do que acontecia, pois vira o momento em que o filho saltava e caía ajoelhado no chão para, logo após, levantar-se com a maior destreza. Sabia que era algo espiritual.

– Salve, caboclo!

Erasmino foi conduzido incorporado para dentro do apartamento, não sem antes chamar a atenção de dois senhores que entravam naquele momento no prédio. Um zelador ou porteiro abriu os olhos esbugalhados – pois era de fé neopentecostal – enquanto dizia ofegante:

– Sangue de Jesus tem poder!

– Ora, cale a boca, homem de Deus! – exclamou a mãe de Erasmino olhando firmemente para o senhor, enquanto conduzia o filho ao elevador, deixando os outros dois homens do lado de fora, esperando o próximo.

O espírito subiu junto com D. Niquita, incorporado, informando a respeito do trabalho que pretendia desenvolver com Erasmino. Mais tarde, ele acordaria do transe totalmente suado, sentado na poltrona de sua sala, sem saber ao certo como chegara ali. Sua mãe o aguardava prontamente, com um copo d'água ao lado.

– É, meu filho. Nem sei se já ouviu esta frase, mas ela é a mais apropriada para o seu caso: filho de Zambi não tem querer!...

CAPÍTULO 18

Salve a umbanda!

PASSADOS OS EVENTOS que marcaram aqueles dias, a mente de Erasmino parecia se acalmar, após a ebulição em que se viu mergulhado. Sua alma parecia totalmente abalada com as ocorrências. Finalmente, conseguiu tirar de sua cabeça a ideia de que estava enlouquecendo. No primeiro momento, procurou auxílio no centro espírita que frequentava, com cujo método de busca da espiritualidade dizia encontrar afinidade.

– Cuidado, muito cuidado com esse tipo de espírito, Erasmino – falou um dos dirigentes da casa, em conversa particular com o rapaz. – Temos aprendido que espíritos superiores nunca assumem médiuns assim, de um momento para outro e em condições inusitadas, como ocorreu no seu caso. Além disso, os mentores jamais precisam assumir uma aparência de índio, de velhos africanos ou mesmo de espíritos tão exóticos assim. Você sabe, pelo que ouviu em nossas reuniões, que isso é mediunidade, mas é uma mediunidade doente. Você pode estar sofrendo um tipo de assédio espiritual. Temos de verificar isso.

– Mas, segundo minha mãe, que presenciou tudo, o espírito não falou nada que contrariasse a moral ou que me colocasse em situação complicada. Ele apenas aconselhou que eu refletisse sobre a possibilidade de trabalhar futuramente com a mediunidade...

– Com certeza você tem algo que denominamos de mediunidade, senão não teria sido usado por um espírito dessa maneira. Mas daí a esse espírito querer trabalhar com você a partir de uma aparição tão tumultuada assim... não creio que seja espírito do bem. Você precisa ingressar urgentemente num curso de mediunidade em nossa casa, aí será orientado com absoluta segurança. Ao mesmo tempo, deverá passar por um tratamento de desobsessão.

– Mas eu já fiz o tal tratamento de desobsessão. Acha que preciso fazer outro, apenas porque um espírito me assumiu e vejo espíritos eventualmente?

– Mas é claro que sim, meu amigo! Nem imagina o perigo a que está sujeito sendo acessado mentalmente por espíritos dessa categoria. O processo obsessivo começa assim mesmo, ainda mais que você nos contou, quando recém-chegado, que já foi a esses lugares onde tais espíritos baixam... Devemos ter todo cuidado possível com você.

– Corro tanto perigo assim, como você diz? Algo tão grave? Pois eu pensei que havia passado tudo isso, esse suposto perigo. Até porque o espírito incorporou em mim naquele dia e, logo depois, me senti aliviado da pressão interna que me afligia. Me sinto mesmo bem melhor, estou dormindo bem e, no meu dia a dia, parece que estou mais suave, mais tranquilo...

– O perigo vem disfarçado, meu filho. A obsessão se manifesta sob diversas máscaras, Erasmino. Nem imagina do que certos espíritos são capazes. Vamos fazer o seguinte – disse enquanto pegava uma prancheta para anotar os dados do rapaz. – Você começa ainda nesta semana os estudos aqui no centro. Terá início um grupo de estudos da mediunidade na quarta-feira, e você poderá fazer parte dele. Serão seis anos de estudos, e, então, avaliaremos seu caso.

– Seis anos? Pelo amor de Deus! E você diz que meu caso é urgente? Seis anos para avaliar?

– É assim que funciona, amigo. Durante algum tempo, você passará por diversos tratamentos, e abordaremos esse índio para saber quais são as intenções dele com você.

Erasmino levantou-se no ato. Saiu indignado dali e nunca mais apareceu no centro que visitava mensalmente. O dirigente ficou parado, atônito, sem entender o gesto do rapaz.

– Coitado! Vamos colocar o nome dele na desobsessão – balbuciou após alguns instantes. – Precisa de muita oração.

Em pouco tempo, o centro inteiro ouvira falar do rapaz que fora tomado por um espírito de índio. Caridosamente, o caso foi explorado no grupo mediúnico da casa espírita como exemplo de processo obsessivo, visando levar os médiuns a refletirem sobre a gravidade do fenômeno e a estirpe espiritual de seres do Invisível que se manifestam daquela maneira.

Erasmino resolveu conversar com sua mãe sobre o assunto novamente. Não se conformava com a atitude de Carlos, o dirigente, a qual julgou preconceituosa, e com seu completo despreparo para lidar com questões como aquela. O próprio Erasmino estivera num centro de umbanda anteriormente e fora muito bem-tratado – e, acima de tudo, curado. Mesmo não sentindo afinidade tão intensa com a metodologia umbandista, não poderia negar que fora bem-atendido, que recebera ajuda e que a caridade era uma bandeira das mais importantes no ambiente onde fora acolhido. Como o dirigente ousava classificar o espírito do caboclo como de estirpe inferior sem sequer considerar o que dissera? Então era a aparência do espírito que contava? E mais: inferior a que e a quem? Isso sem falar que Erasmino não era capaz de compreender como dependeria de estudar tanto tempo para ter o caso analisado, sendo que o mesmo dirigente classificara seu caso como grave e urgente. A urgência, então, era uma invenção para mantê-lo no centro espírita, refém de crenças limitadoras e preconceituosas do dirigente? Somente refletir a respeito fez com que Erasmino tomasse sua decisão. Sua mãe o ajudaria.

Resolveu se abrir por inteiro à mãe e ao amigo Evandro, que o auxiliou com suas reflexões.

– Quero voltar ao centro que me acolheu quatro anos atrás, minha mãe. Preciso me consultar com os espíritos. Não me conformo com a ideia de que eu esteja sofrendo de um processo obsessivo, conforme me alertou o Carlos.

– Ainda bem, meu caro amigo – falou Evandro, interferindo na conversa. – Ainda bem que não se rendeu à avaliação preconceituosa dos espíritas, ou melhor, desse dirigente espírita.

– Vou ver quando terá sessão lá na casa de umbanda, meu filho – falou D. Niquita, sinceramente interessada nas reflexões do filho. – Sei que receberão você com muito carinho. Afinal, não foi lá que encontrou apoio na hora da necessidade?

A conversa se estendeu por algum tempo, sendo que Erasmino rasgou sua alma, depôs seu orgulho e revelou seus medos para o amigo e a mãe, que o ouviram atentamente.

NAQUELE DIA tudo indicava ser dia de atendimento ao público. O cheiro de ervas enchia o ambiente, mas com uma nota mais acentuada para o perfume de rosas, que a tudo impregnava. Nada de exageros. Algo se modificara na distribuição dos móveis, do gongá e de outras coisas, mas nem Erasmino nem D. Niquita souberam identificar. Parecia a eles que tudo estava ainda mais limpo e agradável. Alguns filhos estavam orando, outros entoavam uma canção que falava de Aruanda, num tom mais harmônico e num volume mais que suficiente para infundir respeito e um estado de tranquilidade interna muito intenso. Sentaram-se ambos nos bancos reservados à plateia, aguardando os trabalhos começarem. Evandro também chegou logo após, localizando os amigos num dos bancos, de cabeças baixas, como se rezassem. Sentou-se sem cumprimentá-los, para não incomodar. D. Niquita olhou para Evandro apontando o olhar para o filho, que parecia muito concentrado. Erasmino não percebeu a presença do amigo. Talvez estivesse tão imerso naquela atmosfera de Aruanda que não se ligou à companhia recém-chegada bem a seu lado. Havia algo no ar, um clima solene, de santidade no ambiente, que inspirava em qualquer um o respeito, o silêncio ou, quem sabe, a entrega ao clima da música que se ouvia sutilmente, acompanhada por um violão bem-tocado. Alguns médiuns iam e vinham, todos vestidos de branco, dando a impressão de estarem circunspectos diante do lugar, sagrado para eles.

Quando a médium que dirigia os trabalhos adentrou o ambiente, saudou todos os presentes e os demais médiuns. Um a um, eles se colocaram em fila à frente do gongá, o altar onde se convergiam as forças espirituais e que operava como um potente condensador energético para as finalidades a que se propunha o culto. A mulher saudou todos sorridente e falou de maneira que todos ouvissem:

– Boa noite, meus irmãos. Salve a umbanda! Salve nosso pai, Oxalá!

– Salve! – responderam todos.

– Vocês estão numa casa de caridade, numa casa de umbanda. Aqui se pratica a lei da caridade, e nada se cobra pelos trabalhos ou pelas orientações que os guias dão neste ambiente. Todos nós, os médiuns, temos atividades profissionais e de maneira alguma vivemos de dinheiro advindo de consultas ou de quaisquer que sejam os trabalhos espirituais aqui realizados. Neste momento, fui designada como um dos médiuns responsáveis pela organização dos trabalhos da casa, mas aqui convivemos todos em harmonia, não há ninguém superior ao outro. Portanto, não há a mínima necessidade de bater a cabeça[1] para mim ou para quem quer que seja cá em nossa casa. Apenas pedimos o respeito pelos guias da nossa sagrada umbanda – e esse respeito é o mesmo que se deve a qualquer pessoa de bem. Caso alguém não se sinta bem, fique à vontade para sair, ou mesmo para ir embora, ou então para receber ajuda de um dos nossos médiuns, que estão de branco e dispostos a auxiliar, caso seja necessário. Nada de mau acontecerá com vocês, mesmo que decidam sair do ambiente a qualquer momento.

Dando uma pausa e fixando a plateia de mais de cem pessoas presentes ali, continuou, imprimindo novo tom à sua fala:

[1] *Bater a cabeça* ou *bater cabeça* é um gesto de reverência, em cultos como a umbanda, que consiste em tocar a testa no chão em sinal de respeito a determinada pessoa ou entidade espiritual.

– Vamos iniciar os trabalhos de nossa casa agora e, portanto, pedimos a todos que rezem, que peçam aos seus guias, aos seus anjos da guarda ou mentores as bênçãos que vieram receber, sabendo que tudo é concedido a cada um de acordo com a necessidade educativa, mas sempre também de acordo com a nossa capacidade de receber e entender os recursos que os guias nos concedem, caso achem proveitoso, em alguma medida. Vocês já sabem que aqui não fazemos trabalho para prejudicar ninguém; não realizamos milagres, não trazemos seu amor de volta nem arranjamos emprego para ninguém. Atentos a essas considerações, procuremos ficar em oração, e logo mais vocês serão encaminhados aos guias. Que Oxalá nos abençoe e nos guie em nossos trabalhos.

As palavras da médium foram respeitosas, porém firmes e diretas, sem deixarem margem à dúvida no tocante ao propósito dos trabalhadores daquele terreiro.

Do lado de cá da vida, eu acompanhava interessado tudo o que ocorria ali, junto de mais dois amigos. Estávamos de certa maneira vinculados ao caso de Erasmino e colhíamos informações sobre o andamento de sua vida após os eventos que marcaram profundamente sua trajetória em busca de espiritualidade. Ao nosso lado, o espírito Euzália nos recebeu de braços abertos, deixando-nos inteiramente à vontade, como fizera no passado. Mas naquele dia não havia tempo para conversarmos. Eram muitos a serem atendidos, e eu acabei entrando no roldão dos trabalhadores desencarnados, achegando-me agora para trabalhar, e não mais para estudar apenas.

Estávamos acompanhados por um eminente estudioso das tradições africanas, mas principalmente de sua manifestação brasileira nos cultos conhecidos como candomblé. Era um ilustre representante da espiritualidade, que havia nos iniciado em diversos estudos a respeito, em termos de conhecimento e prática. Claro que ele estava em melhores condições de ajudar do que eu, simples repórter do Além. Silva; era este o nome do companheiro que nos auxiliava. Ele estava profundamente envolvido com tudo ali. Fora chamado por Euzália para ajudar e assumir as tarefas do nosso lado.

Já entre os encarnados, Erasmino sentia-se todo envolvido no ambiente, cabisbaixo, em estado íntimo favorável à atuação dos guias, em qualquer procedimento que quisessem. A mudança do clima interno de Erasmino era visível. Ele parecia haver amadurecido; a conversa com o dirigente espírita acabou por ajudá-lo a se decidir. Não lhe restavam dúvidas. Podia até ter alguma afinidade com a metodologia espiritista, contudo, sabia muito bem que não queria de forma nenhuma ser tido como alguém preconceituoso nem ignorante. O modo como fora recebido e as opiniões do dirigente acerca do tipo de espírito que se manifestara em Erasmino fizeram com que ele tomasse a decisão imediata. Então, ali estava, vencendo suas barreiras internas, mas decidido a se resolver. Um amadurecimento real, genuíno, de sua alma. Foi nesse clima que ele ouviu chamarem o seu nome. Nem percebeu as orações coletivas, do grupo de médiuns abrindo os trabalhos. Estava absorto em seus pensamentos e reflexões e imerso num clima mental qual nunca estivera antes.

– Erasmino, meu filho! Venha aqui! – ouviu uma voz chamá-lo.

– É o preto-velho, meu filho. Parece que ele o reconheceu. Vá lá, vá.

Erasmino demorou um pouco ainda a se conectar, mas cedeu ao apelo da mãe, D. Niquita, e levantou-se. Um dos médiuns o conduziu até um banco, a fim de que se sentasse à frente da médium incorporada.

– Lembra de mim, meu filho? Sou a nega-velha Vovó Catarina!

– Me lembro, Vovó, me lembro – falou, baixando

levemente a cabeça, emocionado que ficou na presença da Vovó.

– Nega-velha está muito feliz com seu retorno a esta tenda de caridade, filho. Seja bem-vindo! Sei que vosmecê andou muito por este mundo de meu Deus. Correu muitos caminhos nesses anos todos, mas voltou aqui pela misericórdia divina.

– Pois é, Vovó! E a senhora sabe que para mim não é nada fácil este retorno. Tive de resolver muitas coisas dentro de mim, enfrentar muitos desafios internos.

– É, zinfio, nega sabe disso – falava Vovó Catarina incorporada, embora do lado de cá da vida ela não estivesse com a aparência de preta-velha, mas somente quando incorporada na médium. – Sei de seus desafios, meu filho do coração. Mas agora chegou a hora. Vosmecê não precisa mais passar por tudo aquilo que passou. O momento é outro, meu filho. Agora é hora de devolver à vida as bênçãos que ela concedeu a vosmecê. É hora de trabalhar.

– Trabalhar, Vovó?

– Sim, meu filho! Trabalhar. Você é médium e está recebendo o chamado dos seus guias. Precisa começar a trabalhar, e, na caminhada, vamos lhe dando o suporte e o ensinamento. Mas, é claro, só se vosmecê quiser, se vosmecê desejar servir, pois na umbanda somos todos servidores, e todos estamos em processo de aprendizado.

– Eu quero, Vovó. Passei por muito sufoco, medo, e corri o máximo que pude para escapar disso e viver minha vida da maneira como achei que deveria... Mas parece que os planos são outros, não é mesmo?

– Não é exatamente assim, meu filho. Vosmecê pode continuar sua vida, seu trabalho profissional, e viver como qualquer outra pessoa no mundo. Pense apenas que, além disso, poderá ajudar as pessoas, dar oportunidade para seus guias te ajudarem e usarem vosmecê como instrumento de trabalho para auxílio aos que sofrem.

– Então não preciso parar com meu ritmo de vida?

– Claro que não, meu filho. Apenas vai aumentar seu ritmo, e não parar. Aliás, vosmecê é um médium que vai usar suas mãos para curar. Primeiro, virá um espírito-guia pra te preparar, para amaciar o aparelho. Depois, virão outros, que ficarão, que trabalharão com vosmecê a fim de que faça a tarefa para a qual vosmecê foi chamado.

– E como eu posso ser esse instrumento, minha Vó? Como posso servir para esses espíritos trabalharem através de mim, sendo que não tenho conhecimento nenhum da umbanda?

– Tudo a seu tempo, meu filho! Tudo a seu tempo. Vosmecê já deve ter lido *O livro dos espíritos*, não é?

– Sim, minha Vó, eu já li. Mas esse é um livro espírita, e não umbandista...

– Deixa disso, meu filho, deixa disso. Do lado de cá da vida, a gente não tem essa diferença e separação que os filhos da Terra fazem com as religiões. Então, meu filho, continue estudando o máximo que puder. Aqui vamos aos poucos caminhando, preparando meu filho, e, no momento certo, vosmecê receberá a visita de um dos amigos espirituais que vão trabalhar através de vosmecê. Mas tudo tranquilo, sem pressa, sem agitação. Mas fique atento: primeiro virá este amigo que vai amaciar o cavalo, domar o cavalo, o aparelho mediúnico. Depois, então, é que virá a outra turma, pra fazer o que está programado.

– E posso saber o que está programado para mim, Vovó Catarina?

– Estudar, meu filho. Por enquanto vamos ficar somente nisso. Se vosmecê ainda se sente despreparado sabendo pouco, imagine se nega-velha falar de outras coisas mais profundas e importantes? Não acha que seria desumano encher vosmecê de informações sem estar preparado para elas? Mas uma coisa é certa: o caminho do médium não é nada fácil, meu filho; nada mesmo. Terá de lutar muito com certas questões internas, e externas também. Mas disso nega-velha vai falar com vosmecê em outra oportunidade.

Erasmino levantou-se, enquanto as demais pessoas eram atendidas pelos pais-velhos incorporados. Terminada aquela etapa de trabalho, todos ficaram mais um pouco no ambiente. Erasmino foi retirado do local onde estava com sua mãe e seu amigo Evandro e levado a assentar-se num local ao lado do altar, ou gongá. A preta-velha cedeu lugar a outro espírito. Ele se deslocava no ambiente com mais agilidade; olhos abertos, atento a tudo, a todos, caminhava de um lado a outro como se fosse um jovem impetuoso. Era um dos caboclos daquela tenda. Erasmino arrepiou-se dos pés à cabeça. O caboclo, incorporado, girou em torno do próprio eixo, fazendo um rodopio, e elevou a voz num brado, sendo acompanhado pelos médiuns, que cantavam um ponto, uma música cheia de vibração, que envolvia a todos. Dificilmente alguém ali na plateia não se sentiria em alguma medida envolvido, tocado, ou deixaria de perceber a intensa energia dos caboclos.

Erasmino deu um salto do local onde estava sentado, rodopiou também e ajoelhou-se em frente ao espírito incorporado, que presidia os trabalhos. Ao levantar-se, era outra pessoa. Ele realmente estava incorporado. Sua mediunidade manifestava-se numa inconsciência completa, de modo que, em vigília, ele não sabia o que se passava consigo no local onde seu corpo era utilizado por outro espírito. Em compensação, permanecia completamente consciente fora do corpo. Seu espírito fora conduzido para a Aruanda dos caboclos, onde recebia treinamento, fora do corpo, em tempo real e diretamente da fonte, no mundo primitivo, original.

Começava ali, naquele momento, a nova etapa de trabalhos de Erasmino.

Mas esta história não termina aqui. Este é apenas o começo de uma jornada entre os cânticos, o perfume e os símbolos sagrados da umbanda. Até hoje, ouve-se o brado forte do guerreiro, do caboclo que trabalha sob as bênçãos de Oxalá, auxiliando os filhos do Calvário enquanto seu médium é preparado para assumir novas responsabilidades entre as miçangas e as mirongas de uma religião que toca fundo o coração do povo brasileiro.

Saravá a Umbanda!
Saravá os pais-velhos!
Saravá os caboclos e todos os guias de luz!

Referências bibliográficas

DICIONÁRIO Houaiss da Língua Portuguesa. São Paulo: Objetiva, 2004.

KARDEC, Allan. *A gênese, os milagres e a predições segundo o espiritismo*. Tradução de Evandro Noleto Bezerra. Rio de Janeiro: FEB, 2009.

____. *O céu e o inferno ou a justiça divina segundo o espiritismo*. Tradução de Evandro Noleto Bezerra. Rio de Janeiro: FEB, 2009.

____. *O Evangelho segundo o espiritismo*. Tradução de Evandro Noleto Bezerra. Rio de Janeiro: FEB, 2009.

____. *O livro dos espíritos*. Tradução de Evandro Noleto Bezerra. Rio de Janeiro: FEB, 2007.

____. *O livro dos médiuns ou guia dos médiuns e evocadores*. Tradução de Evandro Noleto Bezerra. Rio de Janeiro: FEB, 2011.

____. *O que é o espiritismo*. Tradução de Evandro Noleto Bezerra. 2. ed. Rio de Janeiro: FEB, 2013.

____. *Revista espírita*: jornal de estudos psicológicos. Tradução de Evandro Noleto Bezerra. Rio de Janeiro: FEB, 2004. v. 3, 1860.

CATÁLOGO | **CASA DOS ESPÍRITOS**

ROBSON PINHEIRO

PELO ESPÍRITO JÚLIO VERNE

2080 [obra em 2 volumes]

PELO ESPÍRITO ÂNGELO INÁCIO

Encontro com a vida

Crepúsculo dos deuses

O próximo minuto

Os viajores: agentes dos guardiões

Nova ordem mundial

COLEÇÃO SEGREDOS DE ARUANDA

Tambores de Angola

Aruanda

Antes que os tambores toquem

Corpo fechado (pelo espírito W. Voltz)

SÉRIE CRÔNICAS DA TERRA

O fim da escuridão

Os nephilins: a origem

O agênere

Os abduzidos

TRILOGIA O REINO DAS SOMBRAS

Legião: um olhar sobre o reino das sombras

Senhores da escuridão

A marca da besta

TRILOGIA OS FILHOS DA LUZ

Cidade dos espíritos

Os guardiões

Os imortais

SÉRIE A POLÍTICA DAS SOMBRAS

O partido: projeto criminoso de poder

A quadrilha: o Foro de São Paulo

O golpe

ORIENTADO PELO ESPÍRITO ÂNGELO INÁCIO

Faz parte do meu show

PELO ESPÍRITO TERESA DE CALCUTÁ

A força eterna do amor

Pelas ruas de Calcutá

PELO ESPÍRITO FRANKLIM

Canção da esperança

PELO ESPÍRITO PAI JOÃO DE ARUANDA

Sabedoria de preto-velho

Pai João

Negro

Magos negros

PELO ESPÍRITO ALEX ZARTHÚ

Gestação da Terra

Serenidade: uma terapia para a alma

Superando os desafios íntimos

Quietude

PELO ESPÍRITO ESTÊVÃO

Apocalipse: uma interpretação espírita das profecias

Mulheres do Evangelho

PELO ESPÍRITO EVERILDA BATISTA

Sob a luz do luar

Os dois lados do espelho

PELO ESPÍRITO JOSEPH GLEBER

Medicina da alma

Além da matéria

Consciência: em mediunidade, você precisa saber o que está fazendo

A alma da medicina

ORIENTADO PELOS ESPÍRITOS

JOSEPH GLEBER, ANDRÉ LUIZ E JOSÉ GROSSO

Energia: novas dimensões da bioenergética humana

COM LEONARDO MÖLLER

Os espíritos em minha vida: memórias

Desdobramento astral: teoria e prática

CITAÇÕES

100 frases escolhidas por Robson Pinheiro

MARCOS LEÃO PELO ESPÍRITO CALUNGA

Você com você

DENNIS PRAGER

Felicidade é um problema sério

Quem enfrentará o mal
a fim de que a justiça prevaleça?
Os guardiões superiores
estão recrutando agentes.

Colegiado de Guardiões da Humanidade

por Robson Pinheiro

Fundado pelo médium, terapeuta e escritor espírita Robson Pinheiro no ano de 2011, o Colegiado de Guardiões da Humanidade é uma iniciativa do espírito Jamar, guardião planetário.

Com grupos atuantes em mais de 10 países, o Colegiado é uma instituição sem fins lucrativos, de caráter humanitário e sem vínculo político ou religioso, cujo objetivo é formar agentes capazes de colaborar com os espíritos que zelam pela justiça em nível planetário, tendo em vista a reurbanização extrafísica por que passa a Terra.

Conheça o Colegiado de Guardiões da Humanidade. Se quer servir mais e melhor à justiça, venha estudar e se preparar conosco.

Paz, justiça e fraternidade

www.guardioesdahumanidade.org